LAS DIETAS ENGORDAN

COMER ADELGAZA

Dr. Rafael Bolio Bermúdez

Diseño de portada

D.G. Roberto Enciso

Derechos Reservados, 1994.
1ª Reimpresión Noviembre, 1996.
2ª Reimpresión Diciembre, 1996.
3ª Reimpresión Febrero, 1997.
4ª Reimpresión Abril, 1997.
5ª Reimpresión Agosto, 1997.
6ª Reimpresión Noviembre, 1997.
2ª Edición Abril, 1998.
1ª Reimpresión de la 2ª. Edición Agosto, 1998.
2ª Reimpresión de la 2ª. Edición Marzo, 1999.
3ª Reimpresión de la 2ª. Edición Abril, 1999.
4ª Reimpresión de la 2ª. Edición Junio, 1999.
5ª Reimpresión de la 2ª. Edición Septiembre, 1999.

© 1994, por Dr. Rafael Bolio Bermúdez
   México, D.F.

ISBN 970-91784-0-7

Impreso en México - Printed in Mexico

Chilpancingo No. 28
Col. Condesa, 06140
México, D.F.
Tels.   55-74-22-30
          55-74-16-50
          55-74-16-51
          55-84-16-91

ÍNDICE

PRIMERA PARTE

SEGUNDA PARTE

Dr. Rafael Bolio Bermúdez

PREFACIO

Conocí al autor hace 7 años, cuando por primera vez integramos grupos para el autocontrol del peso con trabajadores del Instituto Mexicano del Seguro Social.

Desde entonces, Rafael Bolio me pareció un joven original y talentoso, médico de profesión, especializado en Medicina Interna, que trabajaba en el Hospital General de Zona No. 1-A "Venados" del IMSS, en donde fue adquiriendo la experiencia y el desarrollo de teorías innovadoras, en relación con el origen y el manejo de la obesidad.

Con imaginación creativa, ensayos experimentales y observación detallada construyó un método novedoso que ha pulido en su práctica profesional privada con individuos y en su quehacer institucional con grupos organizados para bajar de peso, o más bien para disminuir medidas, corregir proporciones y mejorar figuras de cientos de personas. Ahora con este libro lo pone a la disposición de miles.

Tengo que aceptar públicamente que fui escéptico, tal vez mas aún, resistente a sus teorías. En mi formación o deformación profesional - también médico- para mi, el sobrepeso era el resultado de un balance muy simple: si se comen más calorías que las que se usan se engorda, por lo tanto para enflaquecer había que invertir esa condición, comer menos o quemar más, aumentando el ejercicio; mientras mas intenso y prolongado, mejor.

Sistemáticamente me negué a participar en los talleres o seguir los consejos. Cada día comía menos y hacía más ejercicio, sin embargo también cada día me ponía más gordo.

Hasta que, en el taller para autocontrol de peso para trabajadores de la dirección a mi cargo, ahora en la Secretaría de Salud, empecé a observar como por semanas, casi por días, se transformaban los cuerpos de mis colaboradores, prosperaba su ánimo, rejuvenecían sus rostros, abrillantaban su cabello, fortalecían su unión.

El pasillo de la dirección empezó a convertirse en pasarela de presunción, pues cada uno de los participantes mostraba su figura recuperada.

Entonces, subrepticiamente me hice allegar los planes semanales de alimentación y los apliqué con rigor obsesivo. Para mi sorpresa comía más, hacia menos ejercicio y adelgazaba selectivamente en donde me sobraba más, la panza.

Tuve que aceptar que funcionaba. Demanda de disciplina, sobre todo en las fases de realimentación y reductiva; más que una dieta, es un programa de reeducación alimentaria. En él se descubren nuevos placeres; no es necesario eliminar ninguno de los anteriores, simplemente tomar conciencia y compensar excesos.

Después del éxito obtenido, hemos organizado nuevos talleres, a cual más satisfactorios, sobre todo cuando en las clausuras me percato de la revaloración de las personas y del culto al cuerpo que se logra - y a través de éste a la salud y a la vida.

Para socializar más rápido y más ampliamente su técnica, le pedí a Rafael, mi colega y amigo lo plasmara en un libro, el a su vez me honró , proponiéndome ponerle la introducción.

Yo lo invito a usted a que lo ponga a prueba. Tal como está descrito -sin cambios, ni invenciones- y le solicito haga llegar al Dr. Bolio sus resultados y comentarios.

Le felicito porque si logra vencer la resistencia y se atreve, aprenderá que las dietas engordan y comer adelgaza.

Dr. Rafael Camacho Solís

INTRODUCCIÓN

La obesidad es una enfermedad que ha sido tratada y maltratada por una infinidad de "personajes". Han metido la mano médicos, brujos, chamanes, comadres, y hasta algún buen amigo con las mejores intenciones de ayudarnos.

Todo mundo conoce algún sistema para reducir rápidamente de peso, pero casi nadie sabe como mantener alejados a esos kilos en forma definitiva.

Podemos enlistar una cantidad impresionante de planes dietéticos para bajar de peso. El más conocido es TLM (traga la mitad). Otras técnicas recomiendan que se elimine del menú el pan y las tortillas, o bien arroz y frijoles **además** del pan y las tortillas.

Algunos consideran pecado mortal comer grasas y consecuentemente le aconsejan que se pase la vida ingiriendo pollo hervido, atún sin aceite, lechugas, y pepinos. Otros deciden enredar lo más posible al incauto y le recomiendan tomar ciertos alimentos sólo durante horas precisas del día; alegan que al comer frutas por la tarde o combinadas con carnes **definitivamente** engordan.

Quien intenta resolver su problema ciertamente se encuentra ante una cantidad increíble de posibilidades. Lo más frustrante es que cada técnica parece estar en contraposición de cualquier otra.

Que quede bien claro: **ninguna estrategia que reduce los alimentos** ha logrado, hasta la fecha, demostrar que resuelve este problema. Le podrán susurrar palabras bonitas, pero **las dietas no curan la obesidad.**

¿Entonces qué sentido tiene escribir un libro sobre obesidad?

El exceso de grasa sí puede eliminarse. Afortunadamente para quienes padecen este problema la solución se encuentra en lo que tanto temen pero siempre anhelan: **la comida.**

Les presentaré un breve resumen sobre la obesidad. La ciencia ha dado pasos agigantados en los últimos años, y comienza a esclarecer un problema que durante largo tiempo se mantuvo confuso. No es posible anotar **todos** los estudios, pero intentaré resumir los más importantes.

El libro se divide en dos secciones: la primera es un breve análisis de las razones por las cuales las dietas no son útiles para adelgazar, y cómo, inclusive, PUEDEN FAVORECER LA APARICIÓN DE MAYOR OBESIDAD. Además se exponen los **verdaderos responsables** del acumulo de grasa corporal.

La segunda parte presenta las estrategias alimenticias.

Es indispensable que, antes de aplicar las recomendaciones nutricionales, lea cuidadosamente la primera sección. Bien vale la pena conocer los motivos por los cuales se necesita comer **de todo** para bajar de peso, y *por qué* todos sus intentos de adelgazar han resultado inútiles y hasta contraproducentes.

1

¿POR QUÉ ENGORDAN LAS DIETAS?

La obesidad es una enfermedad sumamente difícil de controlar. Así lo demuestran múltiples estudios que reportan resultados decepcionantes **a largo plazo**. Lo más que puede obtener una persona (con dietas que limitan alimentos, y con la mayor fuerza de voluntad) es **sostener** una reducción de 5 kilogramos un año después de haber empezado su tratamiento. A los 2 años el obeso no sólo ha recuperado su peso inicial, sino que ha subido aún más. *Dejar de comer no elimina la obesidad.*

Las dietas han sido severamente criticadas, ya que bajo análisis científicos han demostrado que lejos de resolver el problema, lo empeoran.

Es cierto que sirven para bajar de peso, pero no evitan que en poco tiempo se vuelvan a recuperar los kilos perdidos. Los últimos informes revelan que la mayoría de las dietas *AGRAVAN* la enfermedad en vez de resolverla. Ponerse a dieta es un asunto bastante riesgoso. Según las más recientes investigaciones, con el tiempo pueden causar *más daños que beneficios.*

Actualmente ya se sabe por qué las dietas no sirven para eliminar la obesidad, e inclusive la empeoran. Para poder entender esto, primero debemos de tener en cuenta que el hombre ya se ha enfrentado durante miles de años a la carencia de alimentos.

El organismo humano es extraordinario y puede adaptarse a infinidad de cambios en sus alrededores. Ha sobrevivido durante milenios en las regiones más frías o cálidas. Es uno de los pocos seres que ha proliferado en casi todos los rincones de la tierra. Para subsistir en el desierto, la selva, o el hielo, con cambios bruscos de clima y alimentación diversa, el hombre desarrolló una serie de adaptaciones.

La naturaleza nos ha dotado con mecanismos de defensa para **asegurar nuestra supervivencia al reducirse la comida.** Esta adaptación orgánica parece ser olvidada por los que desean adelgazar comiendo menos, pues no hay nada nuevo bajo el sol en relación a la restricción de alimentos y el organismo ya "sabe que hacer" cuando estos faltan: **¡Almacena grasas!**

Explicaré algunas de esas adaptaciones. Por favor no se desespere si no queda claro todo lo anotado. Lo importante a considerar en este momento es que *los motivos por los cuales las dietas no funcionan ya se encuentran definidos.* Estos cambios son:

1.- **Aumento del tamaño y peso del tubo digestivo con incremento de vellosidades: absorbe todo.**

2.- **Incremento de la actividad de la Lipoprotein Lipasa: almacena más grasa.**

3.- **Conversión de T3 a T3 reversa: reduce el consumo de grasa por los músculos.**

4.- **Disminución del tono simpaticomimético: acumula grasa en el tórax y la cintura.**

5.-   **Eliminación de la Respuesta Termogénica: quema menos grasa.**

6.-   **Disminución de la actividad del tejido adiposo pardo: conserva más grasa.**

7.-   **Reducción de la masa muscular: reemplaza el músculo por grasa.**

8.-   **Descenso del metabolismo basal: "enlentece" todas las actividades del cuerpo.**

Todas estas "alteraciones" son adaptaciones orgánicas para sobrevivir. Frenan tarde o temprano cualquier pérdida de peso y capacitan al organismo para recuperar lo perdido en forma de grasa.

Dejar de comer genera *alteraciones adaptativas.* El resultado final de todas estas reacciones (más las que se descubran) es bien conocido por toda persona con obesidad; han sufrido la incapacidad para perder peso después de varios meses de dieta, y no han podido evitar que con el tiempo recuperen lo reducido. Cuando se aplica una dieta, cada día que pasa convierte más y más al cuerpo humano en un *EXTRAORDINARIO ahorrador de alimentos.*

EL OBESO RECUPERA SU PESO POR LAS ALTERACIO-NES ORGÁNICAS DESENCADENADAS CON LAS MISMAS RESTRICCIONES DE ALIMENTOS Y NO POR FALTA DE FUERZA DE VOLUNTAD.

Las dietas, lejos de ayudar a resolver el acumulo de grasa, favorecen su incremento. Está demostrado que mientras más estricta sea una dieta, mayor posibilidad existe de **subir más** de lo que se había bajado.

¿Qué significa todo esto en términos sencillos? Simplemente que el ser humano ya tiene miles de años adaptándose a la limitación de alimentos. Dejar de comer *no es nada nuevo para el hombre.*

La lucha para mantenerse esbelto no es contra la fuerza de voluntad, sino contra los cambios adaptativos provocados por las mismas dietas. Dicho de otra manera *LAS DIETAS EN-GORDAN.* Para librarse del exceso de peso se requiere de **paciencia** y no de algún "plan milagroso" o "método de brujería". Aplicar una dieta sin conocimiento de causa es imprudente, ya que puede generar **más** lesiones que la misma obesidad.

No se deje engañar por los efectos inmediatos de las dietas. Comer poco de todo (o eliminar algún alimento del menú) efectivamente logra al principio reducir de peso. Pero conforme avanza la dieta, los cambios orgánicos se encargan de limitar la reducción y finalmente llega el momento cuando se *incrementa* la capacidad para acumular grasa. El paciente a dieta termina perdiendo músculo, agua, paciencia, y compostura, pero la grasa regresa o inclusive aumenta y genera frustración.

Seguramente le parecerá una sorpresa que para controlar el sobrepeso se requiere de **una alimentación abundante** y balanceada. Las buenas noticias son que *COMER ADELGAZA.* Quien se niegue a comer puede resignarse a continuar obeso por el resto de su vida, o bien causarse severas lesiones al organismo con cirugías, medicamentos, etc.

2

LAS CAUSAS DE LA OBESIDAD

No hay enfermedad que esté más rodeada de ignorancia, mitos, y manejos inapropiados que la obesidad.

El alumno de medicina aprende que la obesidad se provoca al comer en exceso; que se resuelve dejando de comer; y que los obesos no se "curan" porque no aplican correctamente las dietas. Además al estudiante se le explica que pocas personas pueden mantenerse esbeltas ya que se han convertido en "adictas" a la comida. Esto hace del trabajo del médico una labor bastante sencilla: si se resuelve el problema fue por la dieta, si no, fue por culpa del paciente que no siguió las indicaciones.

Desafortunadamente el obeso, que desconoce las investigaciones médicas, acepta estas ideas erróneas. Centra sus ímpetus en la fuerza de voluntad, se convence que efectivamente "es un adicto", y se pasa el resto de su vida aplicando dietas **que jamás resolverán su gordura.**

Actualmente la comunidad científica reconoce que la mayoría de las ideas tradicionales sobre la obesidad son más *mitos* que verdades. Como ya se conocen las causas reales de este mal, y consecuentemente la mejor manera de eliminarla, es indispensable que analicemos los motivos por los que se acumula el exceso de grasa.

Cualquier individuo que haya realizado intentos honestos por reducir, sabrá por experiencia que no todo lo que se dice sobre la obesidad es verdad. Por ejemplo; las dietas no resuelven la obesidad.

Durante años, la sociedad médica mantuvo una serie de ideas que lejos de ayudar a los pacientes, los perjudicó, y un ejemplo muy claro es el mito de la comida *(hay que dejar de comer para controlar el exceso de peso).*

Ya se puede definir al "enemigo", al causante de la obesidad, y por lo tanto, mediante estrategias alimenticias eficientes, eliminarlo para siempre. Será sumamente útil que se lean cuidadosamente los siguientes párrafos, y se vuelvan a leer las veces que sean necesarias, de modo tal que no se suspendan los programas nutricionales o se cambien por curaciones "mágicas".

Anotaré las causas que tradicionalmente se han presentado como provocadoras de obesidad y lo que hoy la comunidad científica dice al respecto:

OBESIDAD POR COMER DEMASIADO

Una de las ideas más populares y falsas es que se engorda por comer más de lo que el organismo requiere. De acuerdo con esta lógica 2 más 2 es igual a 4. **En la naturaleza las cosas no se presentan de una manera tan sencilla.**

¡Sorpréndase!: *ningún estudio científico ha logrado demostrar que las personas obesas comen más que los delgados.* Es una falacia decir los gordos comen demasiado. En 1982 un investigador llamado Thompson analizó y comparó trece estudios sobre la ingesta de obesos y delgados; 6 demostraron que no existía diferencia, 5 dieron por resultado que los obesos comían MENOS, y sólo 2 encontraron que los obesos comían más. Por su parte, en 1989 una investigadora llamada Rodin, presentó 23 estudios más que descubrieron que *no existe diferencia entre la cantidad de alimentos ingeridos por gordos y flacos.*

Sólo unos cuantos autores han reportado que los obesos comen un poco más que los delgados, pero **ni uno solo ha logrado probar que existe relación entre la cantidad de alimentos ingeridos y el exceso de grasa corporal.** Unos obesos comen mucho; otros normal; la mayoría casi no come nada *y todos persisten con obesidad.*

El hombre no siempre "engorda por comer demasiado". La sobrealimentación se ha presentado durante miles de años, y consecuentemente la naturaleza ha dotado al animal humano con defensas para prevenir el incremento de peso por **excesos.** El organismo está programado para convertir el excedente de comida en calor *en vez de grasa.* Por eso no existe relación entre la cantidad de alimentos ingeridos y la obesidad. Es posible comer en abundancia sin provocarnos obesidad.

QUIEN SOSTENGA QUE COMER MUCHO ENGORDA NO TIENE LA MÁS REMOTA IDEA DE POR QUÉ SE PRESENTA LA OBESIDAD.

Es más importante la forma como se comen los alimentos que la cantidad ingerida. A continuación se presenta parte de una serie de estudios extraordinarios que nos orientan sobre el papel de la comida en la obesidad:

1. A un grupo sujeto a experimentación se le permitió comer sólo durante 2 horas al día y no en forma constante (como era su costumbre); terminaron con un exceso de 30% de grasa.

2. Otro equipo se sometió a ayunos intermitentes (24 horas por semana) aumentó su capacidad para convertir los alimentos en grasa por lo cual una parte de su organismo se convirtió en grasa.

3. Los sujetos alimentados de las maneras previamente descritas presentaron un INCREMENTO en el tamaño y peso del tubo digestivo.

4. Se demostró que parte de lo ingerido se convierte en calor. Esto se llama "TERMOGÉNESIS": es más eficiente en las mañanas, y disminuye conforme avanza el día. El organismo está programado para tomar abundantes alimentos por la mañana y moderar su ingestión por las noches. Quien hace lo contrario (no desayuna, y come la mayor parte después de mediodía) favorece la aparición de obesidad.

5. La capacidad para convertir los alimentos en calor se aumenta al realizar múltiples tomas en el transcurso del día, y se acelera el funcionamiento general del organismo (metabolismo basal) con cada nueva toma. Los que comen 5 o más veces al día son más delgadas que las personas que ingieren 3 o menos alimentos diarios.

Si analiza cuidadosamente estos estudios llegará a la conclusión de que *los ayunos prolongados **provocan obesidad***.

La dietas que se basan en ayunos, lejos de resolver el problema, favorecen a la larga **un mayor acumulo de grasa**. Para curarse es necesario comer en forma prudente y suficiente.

Resumimos: NO ES TAN IMPORTANTE LA CANTIDAD DE ALIMENTOS INGERIDOS COMO LA **FORMA EN QUE SE COMEN.**

OBESIDAD POR UN METABOLISMO LENTO

Muchas personas alegan que se encuentran con obesidad por alguna alteración "malévola" de su organismo. No logran entender por qué suben de peso a pesar de comer sólo una vez al día y en pequeñas porciones.

Las pruebas son bastantes convincentes en este sentido. Todos los estudios sobre el metabolismo demuestran que un obeso presenta la misma actividad que un delgado. Aparentemente los malos hábitos no alteran la función normal de las células del cuerpo humano.

Si existen ciertas alteraciones en personas obesas y guardan relación con el manejo de los alimentos. Su capacidad para eliminar los excesos de comida como calor se encuentra disminuida (pero no abolida). Estos cambios son similares a los presentados por individuos delgados que se encuentran en *ayuno prolongado*. Parece ser que el cuerpo humano reconoce a la obesidad como un tipo de "ayuno".

OBESIDAD POR HERENCIA

Los científicos que han analizado este factor reportan resultados contrarios. Mientras unos encuentran relación entre la obesidad de padres e hijos, otros lo asocian al estilo o hábito alimenticio educado por la familia.

Un interesante estudio encontró que existía relación entre la obesidad de la madre biológica y el hijo adoptado a una familia de delgados. No se encontró esta relación con la obesidad del padre biológico. Esto sugiere que la capacidad para acumular grasa se encuentra ligada a los genes femeninos, pero también se le puede dar otra interpretación: que la alteración metabólica o bien, que el patrón alimenticio se transmite durante el embarazo por mecanismos distintos a la genética. Algo similar se ha observado en los hijos de madres diabéticas: los recién nacidos demuestran una avidez excesiva por los azúcares.

Un investigador en Canadá realizó estudios de sobrealimentación en obesos gemelos. Encontró que sí existe una tendencia a engordar que se atribuye a factores genéticos, pero el mismo estudio sobre obesos no gemelos reportó resultados distintos.

De esta manera concluyó que la tendencia genética no logra explicar la incidencia tan elevada de obesidad en la población canadiense.

La evidencia más firme en contra de la teoría de obesidad por herencia se presenta al analizar las poblaciones de emigrantes:

Los japoneses (quienes tradicionalmente presentan mínima obesidad) aumentaron de peso al mudarse a los Estados Unidos de América. Al salir de su país presentaron la misma probabilidad de engordar que los norteamericanos.

Es más importante el ambiente externo que la genética en la aparición y persistencia de la obesidad. Si acaso existe una tendencia hereditaria a subir de peso, ésta se puede contrarrestar con buenos hábitos alimentarios.

3

OBESIDAD POR FACTORES EMOCIONALES

Ningún estudio científico ha lograda demostrar que exista un patrón de conducta especial que favorezca la aparición de la obesidad. Existen las mismas cantidades de individuos delgados y obesos que presentan cuadros depresivos, son dependientes, pasivos, neuróticos, obsesivos, etc.

Las alteraciones emocionales no provocan la aparición de obesidad, pero la manera de resolverlas sí. Un conflicto emocional que no logra resolverse adecuadamente favorece la aparición de estrés.

El estrés no controlado interfiere con la reducción de peso aun cuando se estén aplicando dietas estrictas. Guarda una relación compleja con la obesidad, y vale la pena que lo presentemos con más detalle.

LA OBESIDAD Y EL ESTRÉS

La obesidad se encuentra íntimamente ligada al estrés y para entender cómo se presenta esto es necesario describir con precisión el fenómeno.

El estrés se define por los científicos como la respuesta adaptativa de un organismo ante un estímulo externo.

Esto significa que tanto bacterias, virus, peces, como seres humanos viven constantemente eventos estresantes.

Una bacteria presenta "estrés" cuando se enfrenta a un agente químico (antibiótico). Conforme los organismos se vuelven más complejos, el estrés toma diferentes proporciones: la carrera de un tigre tras una gacela significa estrés para **ambos.**

El ser humano ha llevado al estrés a un nivel más complejo. Si se enfrenta a un evento peligroso (ser arrollado por un automóvil) experimenta la respuesta orgánica al estrés en ese momento y *todas las veces que vuelva a recordar el incidente.*

Esta reacción es muy importante, y explica los múltiples daños que se presentan en el organismo. La adaptación biológica se desencadena en el hombre *sólo con pensar en un evento estresante.* El simple hecho de ver una película "emocionante" provoca cambios importantes en el cuerpo.

Consecuentemente la definición de estrés varía enormemente en el hombre. Lo que para uno puede ser sumamente peligroso, para otro puede significar placer: correr en un automóvil a alta velocidad es muy divertido para unos mientras que a otros les "despedaza los nervios".

La respuesta orgánica del ser humano también es diferente según el tiempo en que se mantenga expuesto al estrés. Así tenemos que se define como *agudo* y *crónico.*

El estrés **AGUDO** libera una serie de elementos que *provocan la pérdida de grasa corporal.* A través de una substancia llamada adrenalina, moviliza una cantidad importante de grasa, y al mismo tiempo incrementa la actividad basal del organismo.

La adrenalina además **reduce** el apetito. Todo esto provoca que se pierda peso. El estrés agudo es una forma desagradable pero segura de reducir exceso de grasa y músculo.

El estrés **CRÓNICO** desencadena respuestas adaptativas distintas. Se deja de liberar adrenalina, se reduce el metabolismo basal, y continúa la liberación de otras substancias químicas que *favorecen el acumulo de grasa*. Aún así, sólo se presenta la obesidad cuando se asocian otros eventos.

Un mecanismo de adaptación ante el estrés es la liberación de ENDORFINAS en el cerebro. Las endorfinas son unas substancias químicas que generan placer y además son *extraordinarias* para controlar cualquier tipo de sensación dolorosa. El placer generado por las endorfinas hace que el estrés sea "menos desagradable". Esta respuesta es automática, por lo que nada podemos o debemos hacer para evitarla.

En el estrés crónico se deben buscar distintas formas para obtener endorfinas, aumentar las sensaciones placenteras, y tolerar las emociones desagradables. Existe una amplia variedad de estímulos liberadores de placer (endorfinas); la actividad física; sexual; la comida; los estímulos abstractos (los pensamientos).

Dependiendo de la forma de obtener endorfinas se puede favorecer el incremento o la disminución de grasa corporal. El placer obtenido a través de la música, trabajo, actividad física, y sexual obviamente no generan obesidad. Pero el obtener placer a través de la ingestión exclusiva de grasas sí.

Ha sido demostrado por múltiples estudios que el alimento que favorece la mayor liberación de endorfinas (el más sabroso) es la grasa. Por lo tanto una persona que se encuentra ante un estrés crónico (que ya no disminuye el apetito) logra disminuir las sensaciones desagradables a través de carnitas, sopes, chalupas y migadas, especialmente cuando están fritas, o se les agrega crema, mayonesa, etc..

El estrés agudo puede provocar obesidad a través de la desnutrición *(recuerde que el estrés agudo disminuye el apetito)*. Si se convierte en estrés crónico, que es manejado por la ingestión de grasas, se asegura la aparición de obesidad.

Esta situación de por si bastante complicada, se vuelve aún más al estudiar los "eventos estresantes" de la vida. Llegar tarde al trabajo puede ser una situación sumamente tensionante para unos mientras que otros lo pueden tomar con la mayor calma del mundo. Si además el resto del día se continúa con la angustia de haber checado tarde, se está favoreciendo la aparición de obesidad.

No es el estrés en sí el que genera obesidad, sino nuestra necedad por seguir viviendo ese evento estresante el mayor número de veces posible en nuestra mente. Esta respuesta guarda estrecha relación con nuestra manera de ver la vida (optimista contra pesimista).

Para que ningún evento logre dañar nuestro equilibrio orgánico, es necesario que no rebase nuestro equilibrio emocional. Para obtener esto debemos **cambiar nuestro estilo de vida**.

Una persona que tenga el hábito de desarrollar relaciones afectivas satisfactorias en el hogar y el trabajo, actividad física diariamente y placer en su quehacer ordinario, no necesitará de las grasas para manejar su estrés.

4

OBESIDAD POR COMER GRASA

Son tan importantes los estudios que analizan el impacto de las grasas sobre la obesidad, que es necesario escribir un capítulo separado sobre este tema. **Datos registrados demuestran que las grasas animales son las *culpables* de la obesidad y que las grasas vegetales *son útiles para controlarla.***

Todas las investigaciones encuentran una relación directa entre la cantidad de grasa incluida en la dieta y el grado de sobrepeso. De igual manera, la sobrealimentación reporta un incremento de peso relacionado con la cantidad de grasa en la dieta (además se sube de peso con mucha facilidad). El villano de esta historia es el consumo desmedido de grasas.

El organismo humano cuenta con una serie de defensas para evitar obesidad por ingestión de azúcares; los "quema" con facilidad y no se excede en su ingestión pues conforme avanzan los días de una dieta libre se va perdiendo el "gusto" por ellos. Las grasas parecen producir el efecto opuesto. Cuando una dieta incluye grandes cantidades de grasa se vuelve "más sabrosa" y por lo tanto, se come más de lo requerido. Esta avidez por las grasas no disminuye con el tiempo y los excesos son fácilmente almacenados en el cuerpo.

La predilección por alimentos grasosos se presenta en TODOS desde el momento que nacemos. La preferencia es IGUAL en delgados y obesos. Esta avidez "natural" seguramente guardó un valor de supervivencia (donde no existen "excesos"). La grasa ingerida pasa a la cintura, y se almacena para ser usada sólo después de muchas semanas de dietas de reducción.

En la actualidad nuestros alimentos contienen grandes cantidades de grasa y casi siempre agregamos más al prepararlos.

El "gusto primitivo" por las grasas favorece su ingestión excesiva, y consecuentemente el acumulo de grasa corporal. Si además se cuenta con malos hábitos alimenticios (ayunos prolongados, comer sólo una vez al día, realizar dietas de reducción, etc.) se incrementa la posibilidad de acumular exceso de grasa: 3 de cada 10 personas se encuentran con obesidad.

Se ha demostrado una relación directa entre el grado de sobreingestión de grasas y el sobrepeso. Además se sube muy fácilmente cuando se exagera la ingestión de estos elementos.

¿Pero qué sucede si una dieta no contiene grasas en lo absoluto? *Se acumula grasa en el abdomen.* Un plan nutricional que indica mínimas cantidades de grasas **también** produce aumento de peso. Es *indispensable* incluirlas en el menú, ya que al evitarse totalmente se generan otra serie de alteraciones en el organismo que van desde enfermedades de la piel hasta daño del sistema inmunológico. Tal vez el lector se atreva a sufrir estas consecuencias, pero la que menos le conviene es que al eliminar las grasas de la dieta se favorece LA OBESIDAD.

Cuando se encontró que una dieta sin grasas provocaba obesidad, se decidió investigar qué cantidad se debía comer para evitar esta respuesta, y sobre todo cuál grasa era la más adecuada para el hombre.

Una dieta normal incluye aproximadamente un gramo de grasa por cada kilogramo de peso. Inclusive las dietas de reducción más estrictas deben indicar pequeñas cantidades de grasa. La mayoría de los expertos recomiendan 40 gramos o más para el varón y para la mujer no menos de 20 al día.

Afortunadamente para el individuo con obesidad, existen estudios fabulosos que demuestran cómo se puede perder peso *utilizando ciertos tipos de grasas*. A continuación explicaré como se adelgaza comiendo grasas:

Al igual que los azúcares, existen distintos tipos de grasas y por lo tanto el organismo las maneja de distinta manera.

Para fines prácticos y sobre todo para fines metabólicos, las grasas se han dividido en : SATURADAS, MONOINSATURADAS, Y POLI-INSATURADAS.

Las SATURADAS se encuentran en los animales terrestres, y en el aceite de coco. Las MONOINSATURADAS se encuentran en ciertos vegetales: el aceite de olivo, al igual que las OLEAGI-NOSAS como la nuez y los cacahuates. Las grasas POLI-INSATU-RADAS provienen de varias semillas y mencionaremos todos los aceites para "guisar" como el cártamo, maíz, girasol, etc.

Muchas especies marinas también contienen aceites poli-insaturados, pues estos no se solidifican en temperaturas bajas. Si una grasa se encuentra en estado líquido en medio ambiente lo más seguro es que contenga grandes cantidades de ácidos grasos mono o poli-insaturados.

Aunque existe controversia al respecto, parece ser que las grasas saturadas (obtenidas de los animales terrestres y algunos vegetales) ingeridas en exceso generan alteraciones severas en el organismo (que incluye a la obesidad).

En el libro *LA DIETA DEL PALEOLÍTICO*, se presenta un interesantísimo análisis de los alimentos ingeridos por nuestros antepasados que poblaron la tierra hace más de 10,000 años.

Los autores concluyen que el ser humano efectivamente sobrevivió ingiriendo grandes cantidades de carnes, pero puntualizan que el contenido de grasa de los animales salvajes escasamente llega a ser de 1 por ciento (similar a la cantidad encontrada en pescados y mariscos).

La cantidad total de grasa SATURADA ingerida hace miles de años era mínima comparada con la POLI-INSATURADA obtenida a través de los vegetales.

Actualmente los animales que ingerimos acumulan una gran cantidad de grasa siendo la fracción mínima de 20 gramos por cada 100 gramos de peso neto (la mayoría contiene aún más). En el mejor de los casos, esto equivale a un incremento de un 2000% de grasa saturada incluida en nuestro menú actual.

EL SER HUMANO AÚN NO HA TENIDO SUFICIENTE TIEMPO (EN TÉRMINOS DE EVOLUCIÓN) PARA ADAPTAR-SE AL AUMENTO TAN IMPRESIONANTE DE ESTA SUBS-TANCIA EN LA DIETA.

Aparentemente las grasas más útiles provienen del reino vegetal. No sólo ayudan en la construcción de células (una tercera parte de su membrana está construida con grasa y cerca del 80 por ciento del cerebro está hecho de grasa), sino que además nos ayudan a *mantenernos esbeltos*.

Este descubrimiento ha sido de vital importancia para el control del sobrepeso. En el libro *NUTRICIÓN SIGLO XXI* se presenta un resumen de estudios recientes sobre las grasas vegetales y de su beneficio para el organismo.

Nos interesa en forma especial una molécula fabulosa llamada **Acido Gama Linoléico** que se ha demostrado *incrementa la capacidad para eliminar la grasa corporal* (activa el tejido adiposo pardo, sitio donde se usan las grasas). Esta es una GRASA QUE "QUEMA" GRASA.

Esta substancia se encuentra en el aceite de cártamo, girasol, maíz, almendras, cacahuates, pistaches, y nueces.

¿Entonces por qué no estamos todos delgados si la mayoría de nosotros utiliza aceite vegetal para guisar y a casi todos nos encantan los pistaches, las nueces, etc.?

El calentamiento del Ácido Gama Linoléico provoca una pérdida de sus propiedades "reductivas" y lo convierte en un elemento "engordante". Se debe ingerir idealmente las oleaginosas crudas, y mantener el aceite vegetal en el refrigerador para usarlo como aderezo frío *y no para guisar como es la costumbre*. El aceite vegetal calentado, si se toma en suficientes cantidades, provoca obesidad.

Ingerir un aceite sometido constantemente al calor, o peor aún calentarlo en varias ocasiones (refreír) genera lesiones severas al organismo, y algunos investigadores alegan que este hábito, además de provocar obesidad, aumenta la frecuencia de cáncer en el intestino grueso, glándulas mamarias y próstata), y favorece la aparición de aterosclerosis (endurecimiento de las arterias).

Si desea freír un alimento, *es preferible usar aceites vegetales monoinsaturados* (por ejemplo el de oliva) pues son estables ante elevaciones importantes y sostenidas de temperatura. Las comunidades que rodean el Mar Mediterráneo tienen la costumbre de guisar sus alimentos con aceite de oliva, y se ha demostrado que esta práctica les ayuda a disminuir la frecuencia de infartos del corazón o de cáncer en distintas regiones del cuerpo.

La sobreingestión de grasas saturadas (obtenidas de los animales y el coco), la costumbre de calentar los aceites vegetales y los malos hábitos alimenticios (ponerse constantemente a dieta, comer sólo una o dos veces al día, no cenar, o reducir drásticamente la ingestión de azúcares) favorece el acumulo de grasa corporal.

Quien desee adelgazar debe comer el aceite vegetal preferentemente crudo, y disminuir la grasa animal que incluye en su comida. De nada le servirá reducir la ingestión de azúcares (pan, tortilla, frijoles, etc.) o de proteínas (pescados, res, pavo, etc.), pues con las dietas que limitan los alimentos, sólo se logra perder la paciencia y la salud.

La teoría que inculpa a los azúcares como los responsables del acumulo excesivo de grasa es tan errónea, y provoca tanto daño a los obesos, que es necesario apartar todo un capítulo para analizar los estudios científicos recientes en relación a la ingestión de estos nutrientes y la aparición de obesidad.

5

LA OBESIDAD Y LOS AZÚCARES

La obesidad *no es provocada por comer azúcares*. Contrario a la creencia popular, los alimentos con alto contenido de azúcar como frijoles, papas, pastas, tortillas, plátanos, etc. son necesarios para CONTROLAR el problema de exceso de peso.

La ingestión excesiva y continua de azúcar refinada sí puede generar obesidad, pero sólo se logra cuando se **obliga** a sujetos en experimentación a ingerir cantidades tan exorbitantes que generan náuseas. No existe una "adicción" o impulso por comer más azúcares de lo que el cuerpo requiere, pues con el paso del tiempo se vuelven poco "apetecibles" al paladar, y consecuentemente se reduce en forma espontánea su ingestión.

Son tan importantes las investigaciones científicas relacionadas con los azúcares, que me atreveré a presentar al lector una descripción de *algunos* de los estudios recientes:

LOS AZÚCARES Y LA OBESIDAD

En México los platillos tradicionales a base de maíz y frijol, como el pozole, las quesadillas, etc., han sido prohibidos a los obesos. Las personas que creen engordar por comer pan, tortillas y pastas, se asombrarán al saber que esto es falso; el secreto está en la preparación. Leamos los siguientes párrafos:

Durante años se creyó que comer azúcar provocaba obesidad y por lo tanto se elaboraron dietas que reducían su ingestión. En la década de los ochentas se popularizó un método opuesto que recomendaba *aumentar* los azúcares de la dieta. Aunque estas técnicas no tuvieron éxito en nuestro país, gozan de gran aceptación en los Estados Unidos y Europa.

¿Quien empezó este desorden de eliminar la grasa corporal a través de azucares? Se lo debemos a un ingeniero a quien se le advirtió le quedaban pocos días de vida por tener sus arterias "tapadas". Decidió estudiar los hábitos alimenticios de distintas culturas primitivas, pues es típico que en ellos se reporte la ausencia de "arterias tapadas". En 1974 el ingeniero Pritkin presentó en su libro un análisis de los hábitos alimenticios de los tarahumaras de México y bantues de Africa.

Concluyó que presentan una frecuencia tan baja de aterosclerois ("arterias tapadas") debido a su manera especial de comer. Según Pritkin, para mantener un estado de salud excelente y disminuir la aterosclerosis era necesario ingerir cantidades abundantes de azúcares y disminuir o inclusive eliminar la ingesta de grasas.

Estas recomendaciones tuvieron gran éxito, pues sus pupilos (al igual que él) lograron reducir su aterosclerosis y *además bajar de peso* con los alimentos que supuestamente eran engordantes. Fueron tan importantes los estudios de Pritkin que actualmente son raras las publicaciones científicas que "atacan" a los carbohidratos (azúcares).

¿Cómo es posible bajar de peso comiendo la cantidad que se desee de frijoles, pastas, pan y otros alimentos que se limitan o prohíben en cualquier dieta? Para entender por qué funcionan estas estrategias primero estudiaremos la manera como el cuerpo maneja los azúcares.

LOS AZÚCARES Y LA DIGESTIÓN

Para que el organismo pueda utilizar los alimentos primero necesita digerirlos. *La digestión gasta gran cantidad de energía.* No todos los alimentos se digieren con la misma facilidad: el más "latoso" es la proteína. Los azúcares también son difíciles de digerir, sobre todo si se toman a través de frijoles, papas, tortillas, etc. Pero ¿cuáles son los nutrientes que pasan al cuerpo casi intactos? Tal y como hubiéramos podido imaginarnos: nuestras "adorables grasas".

El organismo requiere de energía para la digestión. El trabajo desarrollado por los músculos del intestino puede compararse al de los músculos de las piernas y brazos al jugar básketbol durante una hora.

Como el cuerpo humano es muy "listo" decide utilizar parte de los alimentos que están en el intestino para obtener esta energía. Por lo tanto *no todo lo que deglutimos nos llega a la sangre.* Cuando comemos 100 uvas, 23 se utilizan para obtener suficiente energía para digerirlas. Después de la digestión sólo quedan 77 para ser aprovechadas por el organismo. Cuando comemos 100 gramos de grasas, sólo 3 se "queman" en el proceso de digestión: el resto no se utiliza y sí se almacena, por lo cual dicha grasa se va acumulando en el organismo.

¿Ya se perdió el lector con estas explicaciones?. No se preocupe, pues las conclusiones prácticas de estos estudios tan complicados son bastante divertidas y fáciles de recordar.

Veamos qué provecho podemos obtener de todo esto:

Los que acostumbran comer grandes cantidades de azúcares no refinados difícilmente presentan obesidad pues una buena parte de los azúcares se utiliza en el proceso de digestión.

Las personas que ingieren grandes cantidades de grasas fácilmente la acumulan en el organismo, pues casi todas llegan directamente a la sangre.

En un estudio se observó que *aumentar 80 gramos de grasa a una dieta normal provocaba un incremento rápido de peso*. Cuando se administró la misma cantidad de alimentos en forma de proteínas y azúcares **no se observó aumento de peso**.

Esto explica por qué no se encuentra una relación clara entre el volumen de alimentos ingeridos y la obesidad, pero sí se estableció un vínculo directo entre la obesidad y la cantidad de grasa ingerida en la dieta.

El ser humano aparentemente puede tomar gran cantidad de azúcares sin acumular grasa. El investigador Acheson administró 500 gramos de azúcar (equivalente a 42 tortillas o 21 tazas de pasta) a sujetos obesos y no observó acumulo de grasa en las siguientes nueve horas.

Esto sugiere que un "gordo" pueden comer 1 kg. de azúcares (equivalente a 84 tortillas) en 24 hrs. y mantenerse esbelto o inclusive bajar de peso.

¿En qué benefician estos estudios?: si vamos a excedernos al comer algún alimento, *es preferible ingerir azúcares para disminuir el riesgo de provocarnos obesidad.*

CARBOHIDRATOS COMPLEJOS Y OBESIDAD

Las nuevas técnicas dietéticas hacen especial énfasis en la ingesta de carbohidratos complejos. ¿Qué significa eso?

Los azúcares se presentan en la naturaleza de distintas maneras: con una molécula (monosacáridos), dos moléculas (disacáridos) y múltiples moléculas (polisacáridos).

Los monosacáridos y disacáridos se conocen como CARBOHI-DRATOS SIMPLES. Los polisacáridos (muchas moléculas apeloto-nadas) son conocidos como CARBOHIDRATOS COMPLEJOS.

Los CARBOHIDRATOS SIMPLES son el azúcar, la miel, y los azúcares extraídos de las frutas. Los COMPLEJOS son las verduras, oleaginosas y cereales.

Al cuerpo le cuesta mucho trabajo digerir un CARBOHIDRATO COMPLEJO y además lo absorbe con gran lentitud; esto es de gran beneficio pues evita la obesidad. Muchos carbohidratos no son digeridos por el hombre y se conocen como "fibra".

Cuando se comen *pocos azúcares y mucha grasa* suceden dos cosas: no se satisface el hambre por lo que difícilmente se percibe la sensación de saciedad y; ¡se acumula la grasa que se ingiere! Cuando se aumentan CARBOHIDRATOS COMPLEJOS a una dieta se presenta la reacción opuesta. Las personas que ingieren grandes cantidades de azúcares no refinados difícilmente comen excesos de grasa (el enemigo número 1 de los obesos).

Todos los carbohidratos complejos (pastas, cereales, frijol, haba, lentejas, alubias, papas,, etc.) se consideran como alimentos "ideales" en las nuevas técnicas de reducción.

Estos son tan sólo unos cuantos de muchísimos estudios que se han realizado sobre los carbohidratos (azúcares). ¿La manera más fácil para convencerse de que todas estas investigaciones son ciertas? **¡Comerlos y adelgazar!**

CONCLUSIONES

La obesidad es una enfermedad que durante largo tiempo se consideró como problema de estética no de salud. Por tanto se realizaron pocas investigaciones serias al respecto, y así cualquier persona tenía la libertad de inventar sus propias "teorías" sobre sus causas, y su particular manera de tratarla (o maltratarla).

Actualmente existen investigaciones científicas sólidas que nos demuestran el porqué del aumento de grasa. Aunque aún existen muchas situaciones desconocidas, ya se puede definir con bastante precisión al enemigo, y preparar estrategias nutricionales para resolver el problema. Los *mitos* no caben en las mentes de las personas que desean honestamente resolver su problema.

¿Y qué podemos decir de la manera de eliminar la obesidad? El lector no debe dejarse engañar por los efectos de las dietas a corto plazo. Sí se baja de peso, pero esta reacción es **transitoria** y más importante aún, la pérdida de peso inicial es generada por la eliminación de *músculo con agua y no de grasa*.

Existen muchísimas técnicas dietéticas para reducir de peso, pero como se sustentan en la teoría de *engordar por comer* no logran su objetivo a largo plazo. Se baja para volver a subir, y así se sigue en un juego interminable de *"yo-yo"* en donde el único perdedor es el obeso.

6

EL MITO DE LA BÁSCULA

Pesarse es una experiencia angustiante y dolorosa para la mayoría de personas con problema de peso. Cada vez que se suben a la báscula empiezan a sentirse nerviosos, y al encontrar que no han obtenido lo deseado presentan una gran sensación de frustración y enojo. El más grande anhelo se convierte en el peor verdugo.

Desafortunadamente la comunidad médica ha insistido en obligar a las personas a tomar en cuenta la báscula e intentar reducir de peso, **cuando esto no tiene sentido**.

La báscula también tiene su "negro antecedente" en el turbio historial de los tratamientos de obesidad. Millones de personas alrededor del mundo se han castigado (y siguen haciéndolo) por los resultados obtenidos en la báscula. En las próximas páginas intentaré convencer al lector que debe prestar poca atención a su peso, y más interés a las circunferencias de su cuerpo.

El mayor inconveniente que existe con la báscula es que tiene muy poca "especificidad".

"Especificidad" es una palabra que se usa con frecuencia en la medicina, y su significado es más o menos el siguiente: la capacidad de un estudio para definir o diagnosticar con precisión alguna enfermedad.

Por ejemplo, el termómetro es un instrumento de poca "especificidad". No podemos saber si una persona se encuentra con fiebre porque tiene un proceso infeccioso, acaba de presentar una hemorragia cerebral, ha desarrollado algún tipo de cáncer, o se encuentra con una reacción alérgica.

El peso puede modificarse por muchas razones que no tienen nada que ver con la reducción o el incremento de grasa corporal. Voy a presentar algunos ejemplos para explicar esta situación:

EJEMPLO 1: una dama angustiada decide pesarse todos los días del mes para saber exactamente en qué momento empieza a "engordar". Encuentra, con sorpresa, que a pesar de cuidarse en forma exagerada, sube de peso cuando se acerca su ciclo menstrual. Decide erróneamente que está engordando, y castiga aún más su dieta, cuando la causa real de su incremento periódico de peso es la menstruación.

EJEMPLO 2: una joven decide vacacionar en un sitio caluroso, y observa que a los 2 días ya ha aumentado dos kilogramos de peso. Inicia una dieta de reducción en plenas vacaciones, a pesar de que la ropa le sigue quedando igual. Ella no sabe que cualquier incremento de temperatura en el medio ambiente favorece la acumulación de agua con el consecuente aumento de peso **y no un incremento de grasa corporal**.

EJEMPLO 3: un joven decide cuidarse con ejercicio y se decepciona al darse cuenta que en vez de bajar de peso, está **subiendo**. De nada le sirve la explicación del entrenador quien asegura que el incremento es por aumento de músculo, y a pesar de que su ropa le queda mas floja, decide suspender su ejercicio para no continuar subiendo de peso.

EJEMPLO 4: una joven acude a una fiesta, en donde toma dos copas de bebidas alcohólicas. Observa horrorizada que a las 48 horas sube rápidamente de peso, y decide ponerse a dieta para eliminar esos dos kilos que ha incrementado. Ella no sabe que la ingestión moderada de bebidas alcohólicas favorece una retención transitoria de líquidos, y no un incremento de grasa corporal.

EJEMPLO 5: una señora decide acudir con el médico de moda para bajar de peso y sale con una bolsa llena de medicamentos. Desde el primer día nota que debe correr al baño cada media hora y evidentemente la báscula le muestra que ha perdido 4 ó 5 kilogramos de peso. Hace caso omiso a sus necesidades urgentes de ir al baño y continúa con su tratamiento, sin darse cuenta, o peor aún, engañándose en creer que esa pérdida de peso es por reducción de grasa y no por la eliminación de agua causada por algún diurético.

EJEMPLO 6: un señor acostumbra "cuidarse" por medio de una dieta baja en de azúcares. En una ocasión decide tomar un postre y encuentra que al día siguiente aumenta 2 kilogramos de peso. Concluye en forma incorrecta (a pesar de que su ropa le sigue quedando igual) que 50 gramos de pastel se han convertido en 2 kilogramos de grasa.

La báscula difícilmente nos indica si está aumentando o disminuyendo nuestra grasa corporal. Peor aún, no nos define el exceso de grasa que tenemos. Al subirnos a la báscula, pesamos grasa, músculo, agua, hueso y vísceras. No podemos saber qué tanto de nuestro peso corresponde cada uno de ellos.

El exceso de grasa se define con mayor precisión a través de la cinta métrica. Las circunferencias de abdomen y cadera son de mayor utilidad para cuantificar la grasa de nuestro cuerpo. El martirio provocado al pesarse no sólo es innecesario, además es ilusorio pensar que la báscula nos pueda decir qué tanta grasa tenemos o hemos perdido con las dietas.

Si un individuo sube de músculo conforme elimina grasa es posible hasta que aumente su peso, y esto no debe interpretarse como un mal resultado o un incremento de obesidad. Si se baja de peso puede ser por pérdida de músculo y no grasa. *Bajar de peso muchas veces significa que existe una enfermedad.*

La tortura, tristeza, desasosiego o posiblemente felicidad que experimentemos al pesarnos jamás guardará relación con la grasa acumulada en el organismo.

¿Vale la pena pesarse? Si se hace correctamente, nos puede servir como uno de **muchos** indicadores para precisar los cambios de nuestro organismo generados por las dietas.

Una manera más exacta (y elegante) de vigilar los cambios en el cuerpo es a través de lo que en la medicina se le ha nombrado "*antropometría*". Esta nuevamente es una palabra muy rebuscada para una actividad relativamente sencilla: la medición del cuerpo con una cinta métrica. Si en algún momento de su vida ha acudido a un sastre para que le arreglen una prenda, seguramente ya conocen lo que es la "antropometría".

Quien tenga un interés honesto por reducir su problema de exceso de grasa (y no sólo esté engañándose en que desea hacerlo) deberá aprender a medir sus circunferencias del cuerpo.

A continuación presentamos la manera adecuada de tomarse las medidas:

CONTROLE SUS MEDIDAS

La báscula es de limitada utilidad para valorar la obesidad, y por lo tanto tiene poco sentido usarla como único método para vigilar los efectos de una dieta de reducción.

Para tener la seguridad de que la báscula no nos "miente" es necesario pesarse en una de tipo "clínica" (la que se encuentra en consultorios médicos). Debe ser en la misma báscula (tomarse el peso en distintas básculas sólo provoca confusión en el paciente), y a la misma hora del día (conforme avanza el día *siempre* se aumenta de peso). Por último debe hacerlo desnudo o con ropa interior ligera.

Todas estas recomendaciones únicamente nos sirven para saber con precisión qué tanto hemos modificado de peso, pero jamás nos dirá *cuanta grasa hemos eliminado*.

La mejor manera de hacernos la vida más práctica es comprándonos una cinta métrica. Esta nos da una definición más exacta (y sencilla) de la cantidad de grasa que hemos perdido.

Si no se toman con cuidado las medidas, los resultados pueden ser cada vez diferentes. En este caso se puede pensar erróneamente que la grasa aumenta o disminuye según la equivocación. Por ese motivo es necesario que se realicen múltiples tomas hasta obtener cifras confiables. Con la práctica puede aprender a tomarse medidas rápidamente y sin errores.

No debe ajustar la cinta o sumir el abdomen para obtener mejores resultados. Hay que ser honesto al tomar medidas, ya que bien tomadas son excelentes indicadores o señales de los cambios en el organismo.

CÓMO MEDIRSE

Idealmente se debe hacer cada semana, más o menos a la misma hora del día y bajo condiciones semejantes, por ejemplo: antes de haber comido o después de ir al baño. Utilice una cinta métrica de las empleadas por costureras.

Las medidas se toman con ropa interior, o bien, desnudos, ya que las telas gruesas pueden dar falsos resultados. De no ser posible, cuando menos procure vestir con prendas delgadas. No ajuste la cinta pues el tejido graso es elástico y se puede falsear la medición. Deberá medirse preferentemente descalzo ya que el tacón modifica las circunferencia de la pantorrilla

SITIOS EN QUE DEBE MEDIRSE

1)   **BUSTO:** Tanto en mujeres como en hombres se mide a nivel de los pezones.

2)   **CINTURA:** Debe tomarse a la altura del ombligo.

3)   **CADERA:** Deberá medirse sobre la máxima protuberancia glútea y por encima del púbis.

4)   **MUSLO:** Se toma a nivel de la ingle, donde se une al cuerpo, sin medir la región glútea.

5)   **PANTORRILLA:** Se deberán tomar varias medidas, hasta encontrar la parte más gruesa.

Cuide mucho que la cinta esté paralela al piso. Si se toman medidas con la cinta "chueca" los resultados variarán en todas las regiones.

7

EL EJERCICIO IDEAL:
LA CAMINATA

La falta de ejercicio no genera la obesidad, y la actividad física no sirve para eliminarla. Una actividad inapropiada inclusive puede favorecer *mayor* acumulo de grasa.

¿Entonces es un mito que el ejercicio ayuda a eliminar el exceso de grasa?. Al igual que con las grasas y los azúcares, la respuesta orgánica es diferente para cada tipo de actividad física, y guarda una relación directa con la *intensidad* de la misma. Una actividad intensa es de poca utilidad para eliminar la grasa corporal. Si se asocia con una dieta mal balanceada (que favorezca la desnutrición), *provoca incremento de grasa preferentemente en el abdomen.*

Los que se pasan gran parte de su vida sudando "la gota gorda", sólo en contadas ocasiones logran una discreta reducción, pero jamás la suficiente como para eliminar su exceso de grasa. Es más, muchos individuos dejan el ejercicio, pues observan como lentamente van *empeorando su problema.*

Sí existe una actividad adecuada para el obeso que favorece la movilización de grasa corporal: CAMINAR. *La caminata genera una movilización de grasa corporal 15 minutos después de que se ha iniciado y su efecto máximo se obtiene a los 30 minutos.*

No hay técnica, dieta, o medicamento conocido hasta la fecha que provoque una respuesta más rápida. Además la caminata reduce más grasa *que cualquier otra actividad física*.

Si en su vida existe poco tiempo para dedicarle al ejercicio, **camine**. Con tan sólo 15 minutos de actividad ya está logrando un beneficio. Si lo incrementa a 30 ó 45 minutos, mucho mejor.

Un mito que existe en la mente de los obesos (y en algunos "especialistas en obesidad") es que mientras más intenso sea el ejercicio, más reducción de grasa se obtendrá. Esto es falso, ya que al realizar una actividad física intensa se está "quemando" azúcar (glucosa) y no grasa (triglicéridos).

En una carrera de 100 metros a la máxima velocidad posible se utiliza 100% de azúcar y 0% de grasa. La actividad que más grasa moviliza por unidad de tiempo (60% de grasa contra 40% de azúcar) es LA CAMINATA. Al realizar un ejercicio más intenso se está limitando la posibilidad de reducir la grasa de la cintura. Si le interesa ser EL GORDO MAS RÁPIDO DE LA COLONIA póngase a correr, pero si lo que desea es resolver su problema CAMINE.

Se ha demostrado que el obeso al caminar gasta la misma cantidad de energía que un delgado al correr. *El exceso de peso produce un incremento de gasto calórico para cualquier tipo de actividad física.* Guarde mucho respeto ante el "sencillo" evento de caminar, ya que se trata de una actividad extraordinaria.

La caminata se clasifica como ejercicio aeróbico, al igual que la natación, el jogging, la bicicleta y los aeróbics. La única diferencia entre la caminata y los otros ejercicios es que no es tan violenta, y por lo mismo, los beneficios van a ser diferentes.

La caminata permite adquirir cierto tono y fuerza muscular, con lo que se puede evitar la flacidez del cuerpo durante el programa de reducción de peso. Por otro lado, y quizá lo más importante, se obtiene un gran beneficio en el sistema cardiovascular y respiratorio. Esto significa que su corazón y pulmones se fortalecen en la medida que obtienen oxígeno del aire (esto es conocido como entrenamiento aeróbico).

En la medida que el período de caminata se prolongue su cuerpo necesitará más reservas de energía (grasa). Manteniendo en actividad su organismo va a lograr cambiar grasa (la cual está utilizando para poder continuar el ejercicio), por músculo (el cual está fortaleciendo a través de las repeticiones).

Además de ser una herramienta útil para perder kilos, la caminata puede ser una actividad muy divertida que reduce el estrés y sube la moral. Está totalmente demostrado que el ejercicio diario incrementa la auto-estima, reduce la depresión, y ayuda a eliminar la tensión y el estrés de todos los días.

Si ha seleccionado a la caminata para comenzar su programa de actividad física *es importante que obtenga el mejor provecho*.

¿Cuál es el momento ideal para realizar la caminata?. El obeso obtiene el máximo beneficio en dos ocasiones; inmediatamente después de despertarse, o bien antes de ingerir el alimento más "pesado" del día. Pero no voltee su vida al revés para programar su ejercicio de manera correspondiente. Una mejor recomendación es realizarlo **cuando más lo pueda disfrutar**.

¿Y si desea hacer otra actividad que reconoce como más placentera, o ya está haciendo otro tipo de ejercicio?. *Cualquier actividad aeróbica favorece la movilización de grasa siempre y cuando no sea violenta o provoque molestias, como falta de aire o sudoración profusa.*

Debe tener mucho cuidado de la INTENSIDAD de la actividad. Un ejercicio violento aumenta la masa muscular y mejora la capacidad física *pero no ayuda a eliminar el exceso de grasa.* Si disfruta de la bicicleta (fija o al aire libre), adelante. Pero si se provoca dolor muscular, fatiga, sudoración, o falta de aire, está perdiendo la oportunidad de movilizar grasa.

Durante la primera y tercera semana se recomienda llevar a cabo SÓLO ACTIVIDAD FÍSICA MÍNIMA. La cantidad de energéticos (calorías) que se están recibiendo a través del las recomendaciones son muy reducidos, y por lo tanto una actividad moderada puede provocar un *incremento de grasa corporal.*

Tenga en mente que hasta la fecha no existe una Olimpíada de obesos para establecer quién es el más rápido o más hábil. No intente convertirse en el deportista más gordo de su colonia.

Si lo que desea es prepararse para alguna competencia, *no restrinja un solo alimento.* Si desea bajar de peso *no realice un entrenamiento enérgico.* Si ya se está llevando a cabo una actividad física intensa *redúzcala a un mínimo.*

8

COMER DE TODO SIN MOLESTIAS

He presentado un breve resumen de las investigaciones médicas actuales que explican por qué dejar de comer no elimina la grasa corporal, así como los motivos **reales** por los que se presenta la obesidad (en donde espero haber mostrado suficiente evidencia para convencer al lector que **debe comer** para reducir su exceso de grasa). Ahora sólo queda por analizar un pequeño detalle que le ahorrará una gran cantidad de molestias, preocupaciones y frustraciones. A continuación se explicará qué sucede cuando un individuo a dieta vuelve a comer DE TODO:

EL FENÓMENO DE LA REALIMENTACIÓN

Al final de la segunda guerra mundial se descubrió en forma accidental y desafortunada un fenómeno que se presenta cuando un individuo en ayuno vuelve a ingerir todo tipo de alimentos: Algunos prisioneros de guerra que lograron sobrevivir los campos de concentración fallecieron trágicamente ante los "cuidados" de sus "salvadores". Cuando se les administró una cantidad libre y abundante de alimentos murieron por las intensas alteraciones presentadas en el tubo digestivo. Esta reacción, denominada fenómeno de la realimentación, fue demostrada en la población obesa por el Dr. Wayne Callaway. Encontró que cuando un obeso toma alimentos en forma libre *desencadena reacciones semejantes a las descritas en los pri-*

sioneros de guerra. Esto se genera aún con la ingestión de mínimas porciones.

Se presenta **distensión abdominal, diarrea intensa, náuseas con vómitos y formación de gases en el tubo digestivo.** Lo menos peligroso (pero más desagradable) es un incremento en la báscula que llega a ser hasta de 6 kilogramos en una semana.

La mayoría de los obesos viven permanentemente en su propio "campo de concentración" nutricional.

Desafortunadamente las nuevas estrategias alimenticias (con las cuales se elimina grasa corporal ingiriendo todo tipo de alimentos) casi siempre generan el fenómeno de "realimentación".

Es posible disminuir esta reacción y en pocos días comer de todo sin grandes molestias. *Para tal motivo se elaboró un programa de "inducción" que el lector aplicará durante las primeras dos semanas.* A continuación anotaré las recomendaciones para evitar en lo máximo las molestias mencionadas:

INICIE CON PEQUEÑAS PORCIONES DE ALIMENTOS "ENGORDANTES":

Quien haya evitado las leguminosas notará que presenta diarrea al volver a ingerirlas. Para reducir estas molestias, deberá hacer lo siguiente: cuando se indique algo "nuevo" (que no ha comido previamente) inicie con muy pequeñas porciones. Incremente la cantidad paulatinamente, y notará que en pocos días puede ingerir lo que desee sin molestias. *En tres semanas debe volver a comer "todo".*

Si desde hace mucho no ha disfrutado de platillos "pecaminosos" (y divertidos) **tenga paciencia.** Esto le ayudará a sentirse más cómodo con su plan.

Quienes tienen alguna alteración de su digestión ("colitis" o "gastritis") encontrarán que después de tres semanas podrán comer casi de todo sin molestias (en muchos casos inclusive se han *eliminado* alteraciones de este tipo).

INGIERA MÚLTIPLES ALIMENTOS AL DÍA:

Si acostumbra comer varias veces al día continúe con este buen hábito. Nuestro organismo tendrá más facilidad para ingerir *lo que sea* si le brindamos varias oportunidades, que al forzarlo en una sola ocasión. Una galleta diaria durante un año es poca cosa. 365 galletas en una sentada provocarán molestias en cualquiera. Si su hábito es de NO tomar algo "entre comidas", tendrá que aprender a comer con más frecuencia.

NO HAGA CASO A LOS COMENTARIOS DE SUS "AMISTADES":

Aunque la recomendación de ingerir todo tipo de alimentos para adelgazar parece al principio algo absurda, con el tiempo se convencerá que es lo más conveniente. Comer "de todo" casi siempre genera sensación de miedo o culpa en las personas con sobrepeso. Si además le hace caso a la "comadre" puede dejar de comer lo indicado; esto sólo ayudará a que sigan burlándose de cualquier nuevo intento de reducción. Y aunque sus compañeros le juren y perjuren que las tortillas engordan, haga caso omiso de los comentarios y dedíquese a ingerir todo lo que está indicado en el menú.

NO "PUBLIQUE" EL HECHO DE QUE SE ENCUENTRA EN UN TRATAMIENTO DE REDUCCIÓN:

Si desea conocer TODAS las estrategias "nuevas", los médicos de moda, tés, polvos, licuados, pastillas y biorritmos posibles, haga público su compromiso de reducir su peso. Seguramente escuchará en más de una ocasión "no pierdas el tiempo, ese plan es pésimo, me consta, mira lo que como y lo panzón que estoy, mejor te recomiendo este polvo que es **MARAVILLOSO**........".

Hasta que no observe cambios importantes en su cuerpo (aproximadamente en 4 semanas), no intente convencer a los demás de su plan nutricional, pues el resultado bien podría ser lo contrario. Cuando sus amigos observen que efectivamente se encuentra eliminando exceso de grasa, tendrá una poderosa arma para convencerlos que lean este libro y aprendan a comer "de todo" (no lo preste y dígales que compren otro ejemplar).

TRATE DE INGERIR LOS ALIMENTOS "ENGORDANTES" SIN SENTIR CULPA:

Para muchos es casi imposible comer lo que se les antoja sin vivir además la sensación de miedo, culpa o inclusive intensa angustia. Si durante años han evitado ciertos alimentos por considerarlos "engordantes", al ingerirlos sentirán que "automáticamente" se acumulan alrededor de la cintura.

Muchos se sorprenderán al ver que NO ENGORDAN aún comiendo los platillos más "pecaminosos". Alrededor del problema de obesidad existe una cantidad impresionante de "mitos" que intentan explicar con buena fe pero nula sustentación científica su aparición.

La realidad es que al comer de todo en forma racional DIFÍCILMENTE SE PROVOCA AUMENTO DE PESO O MEDIDAS. Si le es imposible eliminar la sensación intensa de angustia tenga en mente que la única manera de estar seguro de que "comer de todo" no engorda es HACIÉNDOLO. Espero que las emociones desagradables disminuyan después de comer racionalmente y adelgazar.

9

PREPARÁNDOSE PARA CAMBIAR LA MANERA DE COMER

Modificar cualquier hábito no es tarea fácil (aunque tampoco imposible). Para tener éxito en nuestro intento por eliminar el exceso de grasa es necesario tener muy claros los objetivos que deseamos cumplir.

Debe quedar muy claro que *no existe un "después de ....."*. Por lo tanto es indispensable que; se entierren para siempre una serie de pésimos hábitos provocadores de obesidad; y se cambien por costumbres que favorecen una figura esbelta. A continuación presentaremos una lista de hábitos que *deben existir* en la vida de cualquier "ex obeso":

1.- **Ingerir un alimento al despertarse.**

2.- *SIEMPRE* **desayunar.**

3.- **Ingerir algún alimento entre el desayuno y la comida.**

4.- *SIEMPRE* **comer.**

5.- **Ingerir algún alimento entre la comida y la cena.**

6.- *SIEMPRE* **cenar.**

7.- **Ingerir un alimento al dormirse.**

8.- **Incluir** *TODOS* **los nutrientes en el menú.**

9.- **MODERAR** la ingestión de grasas de origen animal.

10.- Utilizar con **PRUDENCIA** las grasas de origen vegetal.

El elemento más importante para lograr un cambio permanente de hábitos es *la paciencia.* Si busca con desesperación una pérdida rápida de peso o medidas, no tendrá la oportunidad de modificar su manera de comer.

Una reducción lenta **no debe desanimarlo.** Tarde o temprano obtendrá el objetivo deseado. La impaciencia sólo favorecerá que intente cambiar este programa por una cura "milagrosa" que a la larga provocará un *mayor acumulo de grasa.*

Si le es absolutamente indispensable obtener una figura espectacular en 24 hs, y no obtenerlo le provoca gran frustración, lo que necesita es más apoyo psicológico que un plan alimenticio.

Una figura esbelta *no nos da la felicidad inmediata.* Esta se obtiene más fácilmente con un helado de chocolate. La nutrición de los "delgados" puede ser al principio aburrida. Se tiene que aprender a disfrutar de muchos alimentos "nuevos", y antes de que esto se logre, seguramente el programa alimenticio le parecerá algo insípido.

Una dieta rica en grasas saturadas (de origen animal) es más sabrosa por "naturaleza". Por lo tanto debe prepararse para tolerar frustraciones. Si hoy no pudo estar delgado a pesar de ser muy disciplinado con su "aburrido" programa, no importa. Ya el día de mañana lo obtendrá.

Si reconoce que tiene una pobre tolerancia a la frustración será preferible que, antes de intentar modificar algún hábito alimenticio, busque ayuda profesional en un psicólogo, o bien en grupos de autoayuda conocidos como "comedores compulsivos".

SEMANA

UNO

TÉCNICA DE INDUCCIÓN

(Elaborado para reducir el fenómeno de la realimentación)
(ver también páginas 47 a 50 y 152 a 154)

PRIMER DÍA:

Tomar yogur natural semidescremado con miel de maíz y almendras .... *Página 57*

SEGUNDO DÍA:

Aumentar agua de; melón, papaya, sandía, piña sin azúcar .... *Página 58*

TERCER DÍA:

Aumentar todo tipo de verduras cocidas (mínimo en 4 ocasiones) .... *Página 59*

CUARTO DÍA

Aumentar todo tipo de verduras crudas (mínimo en 2 ocasiones) .... *Página 60*

QUINTO DÍA

Aumentar melón, papaya, sandía, piña, y/o jícama (en 4 ocasiones) .... *Página 60*

SEXTO DÍA

Aumentar todo tipo de frutas (mínimo en 4 ocasiones) .... *Página 61*

SÉPTIMO DÍA

Aumentar pastas (espagueti, ravioles, macarrones, etc.) mínimo en 2 ocasiones ... *Página 62*

Si desea reducir la intensidad de los de trastornos digestivos o el incremento de peso (el *fenómeno de la realimentación)*, PRIMERO aplique este programa que disminuye las alteraciones y prepara al cuerpo para comer de todo.

En las primeras semanas agregará lentamente los alimentos al menú. Así logrará comer en 21 días *lo que sea* sin molestias.

Para reducir las alteraciones intestinales *y evitar la desnutrición*, ingiera la siguiente preparación desde el primer día:

PARA LAS MUJERES

YOGUR NATURAL SEMIDESCREMADO	100 ml.
MIEL DE MAÍZ (*para bebé*)	1 cdta. cafetera
ALMENDRA (*cruda*)	4 piezas

PARA LOS HOMBRES

YOGUR NATURAL SEMIDESCREMADO	200 ml.
MIEL DE MAÍZ (*para bebé*)	2 cdtas. cafeteras
ALMENDRA (*cruda*)	8 piezas

El yogurt semi descremado puede prepararse en casa; solo se requiere de búlgaros y leche *semi descremada*. Afortunadamente ya muchas compañías están ofreciendo en el mercado tanto leche semi descremada, como yogurt semi descremado.

La miel de maíz se conoce más comúnmente como cristal o maple, o para "bebé". Su absorción rápida ayuda a que se minimice el *fenómeno de la realimentación*. Otros tipos de endulzantes como la miel de abeja o azúcar refinada favorecen la aparición de molestias.

Es indispensable agregar almendras al yogur. Cualquier programa que elimine los aceites del menú favorecerá a la larga *la recuperación de la grasa que se llegue a reducir.* En vez de las 4 almendras puede utilizar 1/2 cucharadita (2.5 ml) de aceite vegetal (el más conveniente es el de cártamo ya que concentra grandes cantidades de ácido gama linoleico).

El aceite de cártamo puede sustituirse por aceite de maíz o girasol que también contienen ácido gama linoleico. Recuerde que *los aceites vegetales no deben ser calentados*.

Si existe intolerancia a la leche, sustituya cada 100 ml. de yogurt por la *clara de un huevo* (sin yema).

Si tiene alergia a la clara del huevo, prepare un "licuado" con *complementos de alimento en polvo*.

LOS COMPLEMENTOS ALIMENTICIOS COMERCIALES ENRIQUECIDOS CON PROTEÍNA USUALMENTE CUENTAN CON LAS MISMAS CANTIDADES Y LAS MISMAS PROPIEDADES.

Seleccione al producto *más economico* siempre que guarde control de calidad. En vez de 100 ml de yogurt agregue cuatro cucharadas soperas rasas de complemento (rico en proteína) *además de 4 almendras extras* (total 8) junto con la cucharadita de miel de maíz. Para disolver el producto utilice agua simple Los varones deben duplican las porciones.

Estas preparaciones deben ingerirse MÍNIMO *en cuatro ocasiones* Esto significa que si se queda con hambre puede y debe tomar más. Ingerir menos "licuados" favorecerá que se desnutra, *baje menos grasa*, y la larga *vuelva a subir*.

El primer preparado debe ingerirse **al despertar**; antes de bañarse, o de vestirse. Si su costumbre es despertarse y quedarse varios minutos acostado *deje el licuado junto a su cama*. Si se le hace tarde para llegar al trabajo, levántese más temprano, o **llegue tarde**.

El último debe tomarse **al dormir**. Muchos acostumbran recostarse y leer algún libro o ver la televisión antes de conciliar el sueño. No tome su último preparado hasta que *esté listo para dormirse.*

El segundo y tercer "licuado" deben tomarse a intervalos regulares en el transcurso del día (con espacios de 5 o máximo 6 horas). El único momento permitido para dejar pasar más tiempo de ayuno es mientras se encuentre dormido. Si duerme más de 6 horas al día, no hay problema. Solo recuerde tomarse su primer y último alimento *al dormir y al despertarse.*

Si el segundo o tercer licuado se ingiere en la oficina o la calle, tiene varias opciones para hacer la toma más sencilla: licúe los ingredientes con yogurt frío; o agregue hielos a la licuadora. Al transportarse en un termo, puede "aguantar" varias horas sin descomponerse. Otra posibilidad es que tenga los polvos de suplemento proteínico en el escritorio de su oficina. Con agua, una cuchara, y paciencia puede prepararlo igual que como lo haría en su hogar.

A continuación anotaré *qué alimentos* deben agregarse cada día al menú (además de los licuados):

PRIMER DÍA:

Tomar yogur natural semidescremado con miel de maíz y almendras.

Este es, para la mayoría, el día más difícil. Aparte de los "preparados", solo está permitida el agua (mínimo dos litros en veinticuatro horas). Si le es muy difícil continuar con estas restricciones, agregue desde el inicio los alimentos indicados en el segundo, o tercer día, pero incrementará la posibilidad de desencadenar el *fenómeno de la realimentación.*

Veinticuatro horas de ayuno relativo no son gran cosa. La mayoría de las personas con obesidad ya han intentado programas más drásticos. Además, los "licuados" ayudan a reducir el apetito (aunque es imposible evitar que se extrañe toda la comida grasosa, y sabrosa, del menú). Suspender los alimentos enviciantes "de golpe" es difícil, pero no imposible de realizar.

Si se queda con hambre, ingiera la cantidad de licuados que desee hasta lograr obtener saciedad.

SEGUNDO DÍA:

Aumentar agua de: melón, papaya, sandía, y/o piña.

Se prepara con partes iguales de agua y fruta fresca. La cantidad a beber y la frecuencia es libre. Es muy conveniente que se ingieran por lo menos dos litros en el transcurso del día a través de múltiples ingestas. Mientras más agua de frutas tome, le será más fácil continuar con las restricciones.

Si es mujer y tiene experiencias con dietas, masajes, medicamentos, etc., debe saber que es casi imposible disminuir selectivamente la grasa de los glúteos y la cadera. Se puede reducir de abdomen, busto, y pantorrilla, pero la cadera prominente y los muslos gruesos parecen no tener solución. Existe una manera para eliminar la grasa de este sitio:

Si mide más de cadera que de busto: ingiera agua de frutas cada hora en la cantidad que desee. Al hacer esto, favorecerá la reducción preferente de grasa en cadera y muslos. ES LA FORMA MÁS RÁPIDA QUE CONOZCO, HASTA LA FECHA, DE PROVOCAR LA REDUCCIÓN SELECTIVA DE ESTA REGIÓN.

Si desea reducir **cintura**, se obtendrá con las técnicas indicadas a partir de la tercera semana. Al tomar agua de frutas *cada dos a tres horas* casi siempre se presenta disminución de **cintura**.

TERCER DÍA:

Aumentar todo tipo de verduras cocidas (mínimo cuatro veces al día).

Se debe incluir en el menú: papas, elotes, zanahorias, betabel, etc. En este día se agregan algunos de los alimentos que tradicionalmente han sido señalados como provocadores de obesidad. No tenga miedo de ingerir **con la frecuencia que deseé** papas hervidas, elotes, ejotes, etc. ¿En que cantidad? **La que el cuerpo pida.** Total, ya lleva 48 horas "martirizandolo", y se ha ganado el derecho de comer hasta quedar saciado.

Ingerir papas y elotes en pequeñas cantidades provocará que se BAJE MUY POCO DE MEDIDAS. No intente "perfeccionar" el programa comiendo poco de todo. Si esta es su decisión, será mejor que aplique otra técnica de reducción. Los primeros días de ayuno son para evitar el fenómeno de la realimentación, *no para favorecer una reducción rápida de peso.*

Utilice su creatividad y sazone las verduras con los siguientes ingredientes: sal, pimienta, clavos, ajos, cominos, salsa picante, salsa china, salsa inglesa, o cualquier otro condimento *sin grasa.*

Inclusive pueden cocinarse en consomé de pollo, o sazonarlas como pozole, siempre y cuando separe la grasa del caldo. *Ya eliminada la grasa, puede utilizar su caldo de consomé (o pozole, o cualquier otro preparado) para cocer sus verduras.*

Un programa restringido es más tolerable si los alimentos se guisan con buena sazón. Debe aprender a disfrutar intensamente de las verduras, y si esto se favorece con algún condimento que no contenga grasa, mucho mejor. Además es más sencillo cumplir con una tarea placentera.

CUARTO DÍA

Aumentar todo tipo de verduras crudas (mínimo en 2 ocasiones).

Aunque el pueblo mexicano es un gran comedor de verduras (nopales, chiles rellenos, pozole, etc.) no siempre tiene la costumbre de comerlas *crudas*. Vale la pena que se conozca el placer de ingerir una rica ensalada bien preparada. Inclúyalas en cuatro ocasiones en el transcurso del día.

El único vegetal no incluido en este día es el aguacate. En un sentido estricto no es una verdura (es una fruta), pero muchos acostumbramos agregarlo a nuestros platillos "salados". La ingestión de aguacate puede provocar alteraciones digestivas, por lo que su uso se ha restringido hasta la segunda semana.

Aunque desconozco la razón científica detrás de la siguiente recomendación, le puedo asegurar que funciona: mientras más hojas *verdes* ingiera, obtendrá más reducción de *cintura*.

QUINTO DÍA

Aumentar melón, papaya, sandia, piña, y/o jícama (mínimo en cuatro ocasiones).

Estas son conocidas comúnmente como las frutas de "dieta", ya que contienen un gran volumen de agua, y mínimas cantidades de energéticos. Generalmente se puede ingerir la cantidad que se desee de estas frutas sin que se lleguen a provocar molestias intestinales.

El programa incluye para este quinto día **todo** lo que se anota: agua de frutas, verduras cocidas, ensaladas, fruta de "dieta", y cuatro "licuados".

No cometa el error de ingerir sólo lo indicado en cada día del régimen (solamente ensaladas, sólo fruta fresca, etc.) pues corre el riesgo de desnutrirse y *no reducir la grasa corporal*.

Las personas que están aplicando un programa para disminuir preferentemente la cadera, pueden intercambiar el agua de frutas que ingieren cada hora por fruta fresca de "dieta".

SEXTO DÍA

Aumentar todo tipo de frutas
(mínimo en cuatro ocasiones).

Ahora ya puede irse "soltando el pelo", e incrementar una cantidad importante de energéticos. ¿Desea comer medio kilogramo de plátanos? No hay problema. ¿O prefiere hartarse de mamey y mangos? Adelante. Se lo merece, pues ha soportado cinco días de restricciones alimenticias.

En el sexto día se agregan alimentos prohibidos o restringidos en casi cualquier régimen de reducción. No se preocupe. Seguramente la báscula y cinta métrica ya han reportado resultados satisfactorios, y lo seguirán haciendo siempre y cuando se siga comiendo *sin miedo*.

Asegúrese de ingerir las frutas *mínimo en cuatro ocasiones*. Comer menos veces solo favorecerá que no se reduzca la grasa corporal, y más importante aún, LAS TÉCNICAS QUE INDICAN TRES ALIMENTOS AL DÍA FAVORECEN LA PERDIDA DE PESO POR ELIMINACIÓN DE MASA MUSCULAR. No tiene sentido perder pantorrilla y un busto firme (en mujeres), cuando lo deseado es una mejor figura.

Si ingiere frutas en mas ocasiones, mucho mejor. Pero si comer cuatro veces le es bastante difícil, siga con su esfuerzo. El cuerpo responderá más rápidamente y en forma más estética.

SÉPTIMO DÍA

Aumentar pastas (espagueti, ravioles, macarrones, etc.)
mínimo en dos ocasiones.

Último día de la semana. Cerraremos con otro alimento altamente calumniado, y que guarda *excelentes* propiedades reductivas: la pasta. ¿No le tienta la idea de reducir su grasa abdominal con un rico plato de espagueti?

Aunque las pastas son un alimento procesado, el cuerpo las digiere como si se tratara de una pera o una toronja (alimentos no procesados), y como si contuviera altas cantidades de fibra. Estas propiedades las hacen un excelente *alimento que provoca la eliminación de grasa corporal*, mientras se cuide de no utilizar grasas al cocinarlas.

Actualmente existen productos precocidos que hacen muy fácil la preparación. O bien puede tostar la pasta en un sartén de teflón, y posteriormente guisarla de la manera usual. Otra posibilidad es añadir la pasta al agua *hirviendo* y dejar que termine de cocerse mientras hierve el agua. Puede sazonarla con jugo de tomate, así como cualquier otro condimento que desee.

En esta semana se presenta una reducción importante de peso y medidas, que en ocasiones llega ser hasta de una talla. Otros no observan cambio alguno, e inclusive algunos llegan a **subir de peso y medidas**. Debe prestarle poca atención a los cambios que se presenten, pues la intención del programa de inducción es preparar al organismo para recibir todo tipo de nutrientes, y no eliminar la obesidad.

SEMANA

DOS

PRIMER DÍA:

Aumentar arroz integral hervido y/o pasta (mínimo en dos ocasiones)..........Página 66

SEGUNDO DÍA:

Aumentar una ración de grasa vegetal (total una ración extra en 24 horas) .... Página 68

TERCER DÍA

Aumentar otra ración de grasa vegetal (total dos raciones extras en 24 horas) .... Página 69

CUARTO DÍA

Aumentar una ración de grasa animal (total una ración en 24 horas) ....Página 70

QUINTO DÍA

Aumentar otra ración de grasa animal (total dos raciones en 24 horas) ....Página 71

SEXTO Y SÉPTIMO DÍA

Sin cambios .... Página 71

Aunque para el final de la primer semana se tiene la posibilidad de cubrir un mínimo de las necesidades alimenticias, falta un elemento importante: la variedad.

Es posible que al incrementar ciertos alimentos se reduzca de peso y medidas con más lentitud. Esto no debe preocuparlo. La velocidad de reducción es lo menos importante en un programa sensato de control de peso. Es más valioso obtener un resultado satisfactorio a largo plazo, que un cambio inmediato (y transitorio) de peso y medidas.

"Cualquiera empieza, pero muy pocos terminan". Por lo tanto, se debe utilizar el alimento más agradable al paladar y no el que provoca un descenso rápido de grasa: así se mejora la adherencia al régimen, y este es *el elemento más trascendental para obtener un control permanente de peso.*

El mejor método del mundo no sirve absolutamente para nada si no se aplica. Al aplicar y perpetuar una estrategia nutricional restringida (que favorece una perdida rápida de grasa corporal) se está perdiendo la oportunidad de disfrutar del programa y de *aprender a comer en forma prudente y sana.*

¿Cuando va a acostumbrarse a ingerir todo tipo de alimentos, si se pasa su vida limitándose de aquello que le gusta por miedo a engordar?

En la segunda semana se agregan grasas. Muchas personas seguramente sentirán miedo al incrementar estos alimentos a su menú. Esto es natural, y no debe de extrañarle, pero no permita que su temor lo limite en la aplicación de su plan nutricional.

El tubo digestivo debe estar listo para digerir estos nutrientes con mínimas molestias. En algunos casos sí pueden aparecer trastornos digestivos, pero estos generalmente son generados por una parasitósis o infección intestinal.

Si se presentan cólicos abdominales, diarrea, estreñimiento, o una gran formación de gases, acuda con su médico para que le revise cuidadosamente y le indique el tratamiento adecuado. *El incremento paulatino de fibra y grasas no tiene por qué generar molestias intestinales severas.*

Otra posibilidad es que se trate de una "colitis nerviosa" (colon irritable). Como su nombre lo indica, esta enfermedad se asocia a un estado de animo alterado (ansiedad o estrés no controlado), pero también influye la ausencia de actividad física y una alimentación inapropiada (alta en grasas).

La "colitis nerviosa" guarda relación estrecha con el manejo del estrés. Si atraviesa por un momento tensionante, aprenda nuevas maneras de tolerarlo. No hay estrategia que sirva para reducir los síntomas de la "colitis nerviosa" mientras las emociones se manejen en forma inadecuada.

Si las molestias son tolerables **siga adelante con las indicaciones**. Con el tiempo el tubo digestivo se adapta a los cambios y las alteraciones generalmente desaparecen.

PRIMER DÍA

Aumentar arroz integral hervido
(mínimo en dos ocasiones).

Desde el punto de vista metabólico, la pasta es más útil para favorecer la movilización de grasa corporal (el cuerpo digiere la pasta como un alimento no procesado), pero para la mayoría de nosotros el arroz es mas "sabroso". Para fines metabólicos (y de reducción) lo más conveniente es ingerir arroz integral.

¿No le gusta? Entonces ingiera el tipo de arroz que le agrade, *sin utilizar aceite en su preparación.*

Tal vez el sabor sea diferente, pero al menos se tiene la posibilidad de prepararlo con buena sazón y disfrutarlo. Ingiera el arroz o la pasta mínimo en cuatro ocasiones.

Si decide comer arroz y pasta, recuerde que *además* debe tomar verduras cocidas, ensaladas, todo tipo de frutas, y el licuado.

Aprenda a conocer los limites de su estómago. Si durante años lo mantuvo con restricciones, es tiempo de dejarlo que "hable solo". Esté muy atento a la sensación de saciedad, o correrá el riesgo de provocarse hastío por comer demasiadas cantidades de un solo alimento, y no ingerir todo lo indicado.

Tenga mucho cuidados con las cantidades. Si es necesario, sírvase todos los alimentos en recipientes pequeños. Tal vez sea prudente utilizar los platos de los postres en vez de su vajilla usual. Si después de comer un poco de todo sigue con hambre, no hay problema: puede volver a servirse nuevamente *lo indicado la cantidad y veces que desee.*

Si a las pocas horas reaparece su apetito, no se preocupe. Al comer varias veces al día se está favoreciendo una reducción más rápida y estética de medidas.

Las personas que comen porciones insuficientes, o solamente en una ocasión, disminuyen menos grasa *y en los sitios donde no quisieran que se redujera.*

Esto sucede especialmente con las mujeres; pueden eliminar por completo su busto al realizar "enmiendas" y "restricciones" con el plan nutricional.

Esta técnica de reducción **no tienen nada que ver con cantida-des** (calorías). Por lo tanto, deje que su cerebro le avise (por medio del centro de control de la alimentación) cuando haya comido lo suficiente por medio de la sensación de saciedad.

SEGUNDO DÍA:

Aumentar una ración de grasa vegetal
(total cinco o nueve raciones en 24 horas)

El cuerpo humano está hecho a base de grasas. La tercera parte de la pared de una célula, y el ochenta porciento del cerebro están construidas con moléculas de grasa. Las glándulas mamarias en las mujeres obtienen su consistencia por la grasa.

Muchos le tienen miedo o inclusive pánico a estos nutrientes, sobre todo después de enterarse de que son los responsables de la aparición de obesidad. Es **indispensable** ingerir cierta cantidad de grasas, o se corre el riesgo de volver a recuperar el sobrepeso (ver página 26).

RACIONES DE GRASA VEGETAL

Una ración de grasa vegetal equivale a:

una cucharadita de aceite vegetal (para aderezar)
-o-
una cucharadita de aceite de oliva (para guisar)
-o-
una cucharadita de crema de cacahuate
-o-
8 almendras tostadas o crudas
-o-
12 cacahuates (semillas)
-o-
8 nueces crudas (mitades)
-o-
1/4 de aguacate
-o-
5 aceitunas

Desde el primer día de la semana uno las mujeres estan ingiriendo 4 cucharaditas de aceite, y los hombres 8. Este aceite del licuado o "batido" puede cambiarse por cualquier aceite anotado en la lista previa. Esto significa las mujeres puden ingerir un aguacate completo en vez de su ración de aceite.

En el segundo día de la semana dos se aumenta una ración de grasa vegetal, lo que da un total de 5 para mujeres y 9 para hombres.

Se pueden ingerirse en cualquier momento, pero la recomendación prudente es que se tomen cuando exista suficiente tiempo para disfrutarlas.

Gozaremos muy poco de nuestras raciones de grasa si las ingerimos cuando nos encontramos corriendo para no llegar tarde, o angustiados por que nos faltan muchas cosas por hacer.

TERCER DÍA

Aumentar otra ración de grasa vegetal
(total seis o diez raciones en 24 horas)

Aunque se pueden ingerir todas las porciones en una sola sentada, existe la remota posibilidad de que provoquen molestias intestinales, e inclusive diarrea. Por lo tanto se recomienda que a partir del cuarto día se distribuyan las raciones en varias tomas.

Puede utilizar aceite de olivo para guisar las verduras (champiñones, calabazas, papas, etc.). Para calcular la cantidad de grasa que absorbe un alimento cuando se prepara con aceite, debe tomar en cuenta que la pasta o el arroz frito (con aceite de oliva) absorbe una ración de grasa (una cucharadita) por cada media taza guisada. Esto significa que si toma media taza de arroz frito está ingiriendo *una ración de grasa*.

CUARTO DÍA

Aumentar una ración de grasa animal
(total una ración en 24 horas)

Al igual que con las grasas de origen vegetal, es indispensable que el hombre ingiera ciertas cantidades de grasa animal.

Sin las grasas saturadas, no existirían una serie de hormonas indispensables para la supervivencia del hombre. Las células del cerebro están construidas en un 80% con estas substancias.

Aun cuando el organismo cuenta con un gran reservorio de estos elementos, se desconoce el efecto a largo plazo de la supresión total de grasas saturadas en la dieta. La actitud más prudente es no eliminarlas del programa nutricional. Por eso se agregaron pequeñas cantidades lo más rápidamente posible.

RACIONES DE GRASA ANIMAL

Una ración de grasa animal equivale a:
-o-
1 cucharadita de manteca de res o cerdo
-o-
1 cucharadita de mantequilla
-o-
1 cucharada sopera de crema
-o-
1 cucharadita de mayonesa
-o-
1 rebanada de tocino

Estos alimentos convierten a la comida en un evento bastante agradable.

Recuerde que el hombre disfruta más de sus comidas cuando son preparadas con estas substancias. Por lo tanto cuide mucho de no excederse en las raciones de grasa saturada.

Si le es imposible controlar la cantidad que ingiere, lo más prudente será suspenderlas momentáneamente y agregarlas al menú hasta la quinta semana de nutrición.

QUINTO DÍA

Aumentar otra ración de grasa animal (total dos raciones en 24 horas)

Nuevamente cuide de no tomar sus dos raciones en una sentada. Lo prudente es repartirlo en dos tomas. Aún cuando el impulso por comer grasas animales nos incite a ingerir porciones excesivas, deberemos utilizar nuestra fuerza de voluntad para no caer en la tentación de comer más de lo indicado.

SEXTO Y SÉPTIMO DÍA

Sin cambios

Cuenta con dos días para "jugar" con las raciones de grasa animal y vegetal. Estas pueden ingerirse crudas. (por ejemplo; fresas con crema) o bien pueden utilizarse para guisar algún alimento del menú.

Utilice su imaginación para convertir el programa en el evento más agradable que sea posible. Sazone sus verduras con tocino o mantequilla, y su arroz con aceite de oliva.

Dos raciones posiblemente sean insuficientes para aquellas personas que están acostumbradas a una dieta cargada de grasas animales. Pero desde el punto de vista metabólico, equivalen a las mínimas porciones requeridas por el hombre.

¡Felicidades!. Ya se encuentra comiendo una gran variedad de alimentos con azúcar (y grasa en mínimas porciones). La idea de que estos nutrientes engordan ya debe haber quedado enterrada en el pasado.

Algunos habrán observado reducciones espectaculares de peso y medidas. La mayoría han obtenido una reducción lenta pero satisfactoria (una talla y 2 kg. de peso).

Unos pocos quizá no presenten cambios. Si este es su caso debe de tomar en cuenta que, aún cuando su figura no se ha modificado, tienen la posibilidad de comer los alimentos que antes consideraban "prohibidos" o "pecaminosos" sin engordar.

SEMANA

TRES

Programa Balanceado

El promedio de reducción para esta semana es de media a una talla (1 a 3 kilogramos). Unos quizá habrán notado mayores cambios, y otros tal vez no hayan modificado nada de su figura. Esto es inevitable pues cada persona tiene su manera especial de eliminar la grasa corporal. Si no ha obtenido lo deseado manténgase firme. La intención del programa no es de eliminar la obesidad en la manera más rápida, sino de reducir el exceso de grasa sin dañar la salud y *evitar que se vuelva a subir*.

Nuestras costumbres y hábitos de ninguna manera se asemejan a lo indicado en las dos semanas de inducción. Para tener éxito *a largo plazo* es necesario que se **apliquen estrategias que se asemejan lo más posible a los hábitos y costumbres del medio en que se desenvuelve uno**. Así se hace más fácil la aplicación de cualquier programa, se mejora la adherencia al mismo, y consecuentemente los resultados a largo plazo.

A partir de la semana tres se aplicarán menús similares a nuestra manera usual de comer. Debemos tomar en cuenta lo siguiente: cada país o región tiene su definición particular de lo que se considera como una "comida". Dependiendo del lugar en donde se encuentre uno, el "desayuno" puede ser tradicional- mente una taza de café con pan tostado, o bien un filete de res acompañado de frijoles, tortillas, pan dulce, chocolate, etc., etc.

Nuestra cultura cuenta con una serie de excelentes hábitos. Ingerimos cinco alimentos al día: desayuno, almuerzo, comida, merienda, y cena. Afortunadamente nuestra comida más vasta se realiza a mediodía y no por la noche (nuestros vecinos del norte tienen el mal hábito de cenar "fuerte").

Ninguna de estas costumbres debe modificarse, pues son hábitos alimenticios que favorecen la movilización de grasa corporal.

Debemos tener un gran respeto por nuestras costumbres y tradiciones.

En el presente libro deseo proponer a los hábitos alimenticios del mexicano como la "varita mágica" que puede resolver todo mal del alma (y la panza). Son muchísimas las costumbres nacionales que favorecen una figura esbelta (siempre y cuando reduzcamos las grasas del menú). ¿Unos ricos tacos de papa? Extraordinarios para adelgazar. ¿Cinco alimentos al día? Fabuloso ¿Un "pico de gallo" para hacer más rica la comida? Excelente decisión.

LA ALIMENTACIÓN BALANCEADA

De acuerdo a organizaciones internacionales de salud, se requiere diariamente un 55% de energía en forma de azúcares, un 15% en forma de proteínas, un 10% a través de las grasas saturadas, un 20% por medio de las grasas vegetales, y finalmente 30 gramos o más de fibra vegetal.

¿Cómo aplico un programa balanceado si no tengo un doctorado en nutrición? Para tal propósito elaboré 35 planes distintos. Todos cumplen con los criterios previamente establecidos. La única diferencia es que de un día para otro se incrementa **en forma lenta** la cantidad total de nutrientes (se inicia con aproximadamente 800 calorías, y se termina con más de 2100).

ALIMENTOS "LIBRES"

Existen distintos requerimientos alimenticios de una persona a otra, e inclusive la misma persona puede necesitar de porciones variables de alimentos de un día para otro. Esto puede hacer que lo indicado en la semana que inicia sea tal vez insuficiente para eliminar la sensación de hambre.

Por tal motivo en esta semana se permite la ingestión de cantidades libres de verduras (papas, elotes, ejotes, zanahorias, betabel, etc.) para mitigar la sensación de hambre.

En cada semana se libera un grupo de alimento hasta que al final la mayoría son "libres". Hagamos una lista:

SEMANA TRES: **Verduras.**
SEMANA CUATRO: **Verduras y frutas.**
SEMANA CINCO: **Verduras, frutas y leguminosas.**
SEMANA SEIS: **Verduras, frutas, leguminosas y cereales.**
SEMANA SIETE: **Verduras, frutas, leguminosas, cereales, y grasas vegetales.**

El que un alimento sea "libre" no significa que se puedan comer MENOS porciones de las indicadas para cada semana.

MÁXIMAS PORCIONES

Solo una de cada cien personas que aplican este programa logran ingerir lo recomendado en el quinto día de la semana siete. La inmensa mayoría encuentra que las porciones de la semana cinco o seis son suficientes, o inclusive excesivas.

Cuando encuentre una cantidad que lo mantiene satisfecho, siga con el durante el mayor tiempo posible. Por ejemplo, si los alimentos de la semana tres son adecuados para su necesidades repita esas recomendaciones por lo menos durante dos o tres semanas más. Al sentir hambre, puede avanzar a la siguiente semana.

¿Durante cuanto tiempo debe aplicar las indicaciones? De acuerdo a varios reportes, se ha observado que si una actividad placentera se repite por lo menos durante tres meses, generalmente se convierte en un hábito. Por ejemplo, las personas que se mantienen sin fumar por lo menos durante doce semanas, difícilmente regresan a su viejo hábito. Si logra aplicar cualquiera de los programas nutricionales por lo menos durante las 7 semanas que se anotan, bien. Si puede extenderlo 5 semanas más, mucho mejor.

INTERCAMBIOS

Es probable que alguno de los alimentos recomendados en el menú no sean de su entero agrado, o que inclusive encuentre alguno de ellos como "imposible de comer". También es factible que sea alérgico a alguno de los nutrientes (por ejemplo aguacate, almendras, o pescado).

En estos casos deberá revisar la lista de *intercambios* presentada en la página número 158. Con esta lista le será posible elaborar un menú mas ajustado a sus gustos y necesidades.

Por ejemplo, si tiene alergia al aguacate, puede intercambiarlo por la porción correspondiente de aceite de oliva o de maíz (una cucharadita). Si no le gustan los garbanzos, podrá elegir media taza de alubias o lentejas. Para evitar el aburrimiento, puede cambiar el alimento que se anota por uno "nuevo".

También es posible "mover" los alimentos de horario. Por ejemplo, las raciones de pan pueden unirse todas para un momento especial del día (juntar todos los intercambios de "pan" para comer una "taquiza" con verduras). Las recomendaciones de mediodía pueden "desplazarse" hacia la noche (una cena abundante) o la mañana (un almuerzo).

Antes de modificar por completo el menú que se indica, lo más prudente es que siga las recomendaciones lo mejor posible durante por lo menos una semana. A partir de la semana cuatro, cuando ya se encuentre acostumbrado a este tipo de menú, podrá volverse mas "creativo".

Las verduras son totalmente "libres" a partir del tercer día de la semana uno, y lo único que recomiendo es que ingiera la mayor variedad posible, siempre tratando de preparar platillos con distintos tipos de verduras.

LUNES
(800 calorías)

AL DESPERTAR:	pera	$^1/_2$ taza
DESAYUNO:	tostadas de aguacate:	
	tortilla tostada al calor	2 piezas
	lechuga, tomate, cebolla	1 taza
	aguacate	$^1/_2$ pieza
COLACIÓN:	jícama, piña, sandia,	
	pepinos, melón	1 taza
	chile, sal y limón	al gusto
COMIDA:	sopa de verduras	1 tazón
	filete de res	60 gr.
	ensalada: lechuga, pepino,	
	rábano, apio, tomate	1 taza
	vinagre, pimienta	al gusto
	fresas	$^1/_2$ taza
COLACIÓN:	melón	1 taza
	almendra	2 piezas
CENA:	hot cake o waffle	1 pieza
	con mantequilla	1 cucharadita
	leche descremada	200 ml.
AL DORMIRSE:	licuado de papaya	l vaso med.
	(con agua natural)	

MARTES
(857 calorías)

AL DESPERTAR:	papaya, sandia, piña, y/o jícama	$^1/_2$ taza
DESAYUNO:	frijoles de la olla	$^1/_2$ taza
	nopales	1 taza
	aguacate	$^1/_2$ pieza
	tortilla de maíz	1 pieza
COLACIÓN:	ensalada rusa:	
	verduras	1 taza
	mayonesa	1 cucharadita
COMIDA:	consomé desgrasado	al gusto
	atún en agua (30 gr)	$^1/_4$ del lata
	ensalada de verduras	1 taza
	aguacate	$^1/_4$ pieza
	sandia, melón, y/o papaya	1 taza
COLACIÓN:	galletas marías	4 galletas
	té o café sin azúcar	al gusto
CENA:	yogurt "light"	150 ml.
	All Bran Original	$^1/_2$ taza
AL DORMIRSE:	papaya	1 taza

MIÉRCOLES
(897 calorías)

AL DESPERTAR:	fresas	$^1/_2$ taza
DESAYUNO:	ensalada: nopales,	
	jitomate, cebolla,	1 taza
	garbanzos	$^1/_2$ taza
	aguacate	$^1/_2$ pieza
	papaya	1 taza
COLACIÓN:	piña, o melón	1 taza
	con almendras	8 piezas
COMIDA:	sopa de verduras	1 tazón
	bistec a la plancha	
	desgrasado (60 gr)	1 pequeño
	vegetales: hongos, col,	
	acelgas, ejotes	1 taza
	sandia	1 taza
COLACIÓN:	papaya	1 y $^1/_2$ tazas
CENA:	galletas marías	8 piezas
	con mantequilla	1 cucharadita
	y leche descremada	100 ml.
AL DORMIRSE:	fresas	$^1/_2$ taza

JUEVES
(948 calorías)

AL DESPERTAR: durazno $^3/_4$ de taza

DESAYUNO: tostadas de aguacate y frijoles:
                tortilla tostada al calor   2 piezas
                aguacate $^3/_4$ pieza
                jitomate, cebolla, lechuga   1 taza
                frijoles de la olla $^1/_2$ taza

COLACIÓN: almendra o nuez   8 piezas
                té o café sin azúcar   al gusto

COMIDA: sopa de verduras   1 tazón
                muslo de pollo   60 gr.
                verduras: espinacas,
                berros, coliflor   1 taza
                plátano   · $^1/_2$ pequeño
                miel de abeja   1 cucharadita

COLACIÓN: galletas marías   4 piezas
                té o café sin azúcar   al gusto

CENA: leche descremada   100 ml.
                con All Bran Original $^1/_2$ taza

AL DORMIRSE: mango   1 pequeño

<u>VIERNES</u>
(999 calorías)

AL DESPERTAR:	almendra	8 piezas
DESAYUNO:	huevos a la mexicana:	
	huevo	1 pieza
	aceite de oliva	1 cucharadita
	tomate, cebolla, chile	$^1/_2$ taza
	tortilla de maíz	1 mediana
COLACIÓN:	higos	2 piezas
COMIDA:	consomé desgrasado	1 tazón
	frijoles de la olla	$^1/_2$ taza
	aguacate	$^1/_2$ pieza
	verduras: espinaca, brócoli, hongos	1 taza
	tortilla de maíz	1 mediana
	fruta: durazno, naranja, uva	1 taza
COLACIÓN:	melón	1 y $^1/_2$ tazas
CENA:	pozole de pollo (desgrasado)	1 tazón
	pierna sin piel	1 pieza
	té o café con azúcar	1 cucharadita
AL DORMIRSE:	melón	1 taza

SÁBADO
(900 calorías sin contar la cena)

AL DESPERTAR:	toronja	$^1/_2$ mediana
	con azúcar	1 cucharadita
DESAYUNO:	naranja	$^1/_4$ de taza
	mango	$^1/_4$ de taza
	manzana	$^1/_4$ de taza
	queso cottage	$^1/_4$ de taza
COLACIÓN:	papaya	1 taza
COMIDA:	sopa de mariscos	1 tazón
	arroz frito	1/2 taza
	vegetales: lechuga, jitomate	
	cebolla, garbanzos	1 taza
	melón, papaya, sandía	1 taza
	galletas saladitas	30 gramos
COLACIÓN:	ensalada con aguacate:	
	verduras	1 taza
	aguacate	$^1/_4$ pieza
	arroz hervido	$^1/_2$ taza
CENA:	Libre (**comer pequeñas porciones**)	
AL DORMIRSE:	Licuado de papaya (con agua)	1 vaso med.

DOMINGO
(1036 calorías sin contar platillo principal)

AL DESPERTAR:	toronja	$^1/_2$ pieza
DESAYUNO:	yogurt natural	$^1/_2$ taza
	germen de trigo	$^1/_4$ de taza
	melón, papaya, sandia	1 taza
	almendras	8 piezas
COLACIÓN:	palomitas de maíz (tostadas sin aceite)	3 taza
COMIDA:	sopa de verduras	1 tazón
	espagueti hervido	$^1/_2$ taza
	frijoles de la olla	$^1/_2$ taza
	platillo principal libre (pequeñas porciones)	
	ensalada	1 taza
	con aceite de oliva	1 cucharadita
	papa hervida	$^1/_4$ taza
	tortilla de maíz	1 mediana
	postre a escoger:	
	gelatina	
	nieve de agua	$^1/_2$ taza
COLACIÓN:	papaya	1 taza
CENA:	cereal de cualquier tipo	$^3/_4$ taza
	leche descremada	100 ml.
AL DORMIRSE:	pera	$^1/_2$ taza

SEMANA

CUATRO

LUNES
(997 calorías)

AL DESPERTAR:	melón, papaya, o sandía	1 taza
DESAYUNO:	tostadas de aguacate con frijoles:	
	tortilla tostada al calor	2 piezas
	lechuga, tomate, cebolla	1 taza
	aguacate	$^3/_4$ pieza
	frijoles de la olla	$^1/_2$ taza
	melón, papaya, o sandía	1 taza
COLACIÓN:	jícama, piña, sandia,	
	pepinos, melón	1 taza
	chile, sal y limón	al gusto
COMIDA:	sopa de verduras	1 tazón
	atún en agua	$^1/_2$ lata
	ensalada: lechuga, pepino,	
	rábano, apio, tomate	1 taza
	vinagre, pimienta	al gusto
	fresas	$^1/_2$ taza
COLACIÓN:	melón, papaya, o sandía	1 taza
	nuez	6 mitades
CENA:	hot cake o waffle	1 pieza
	con mantequilla	1 cucharadita
	leche descremada	150 ml.
AL DORMIRSE:	licuado de papaya	1 vaso
	(con agua natural)	

MARTES.
(1,048 calorías)

AL DESPERTAR:	papaya, sandia, o piña	1 taza
DESAYUNO:	frijoles de la olla	$^1/_2$ taza
	nopales	1 taza
	aguacate	$^1/_2$ pieza
	tortilla de maíz	1 pieza
	papaya, sandia, o piña	1 taza
COLACIÓN:	ensalada rusa:	
	verduras	1 taza
	mayonesa	1 cucharadita
	papaya, sandia, o piña	1 taza
COMIDA:	sopa de verduras	1 tazón
	carne asada (60 gr)	1 bistec chico
	ensalada de verduras	1 taza
	aguacate	$^1/_2$ pieza
	papaya, sandia, o piña	1 taza
COLACIÓN:	galletas marías	2 galletas
	té o café sin azúcar	al gusto
CENA:	yogurt "light"	100 ml.
	All Bran	$^1/_2$ taza
AL DORMIRSE:	papaya	1 taza

MIÉRCOLES
(1,100 calorías)

AL DESPERTAR:	fresas	$^1/_2$ taza
DESAYUNO:	ensalada: nopales,	
	jitomate, cebolla,	1 taza
	garbanzos	$^1/_2$ taza
	aguacate	$^1/_2$ pieza
	galletas saladitas	30 gramos
	melón, papaya, piña, sandía	1 taza
COLACIÓN:	melón, papaya, piña, sandía	1 taza
	con almendras	4 piezas
COMIDA:	consomé desgrasado	1 tazón
	bistec a la plancha	
	desgrasado (60 gr)	1 pequeño
	vegetales: hongos, col,	
	acelgas, ejotes	1 taza
	melón, papaya, piña, sandía	1 taza
COLACIÓN:	melón, papaya, piña, sandía	1 taza
	con almendras	4 piezas
CENA:	leche descremada	100 ml.
	bisquet (60 gr.)	1 mediano
AL DORMIRSE:	fresas	$^1/_2$ taza
	con crema	1 cucharada
sopera		

JUEVES
(1,154 calorías)

AL DESPERTAR:	durazno	1 mediano
DESAYUNO:	tostadas de aguacate y frijoles:	
	tortilla tostada al calor	2 piezas
	aguacate	$^3/_4$ pieza
	jitomate, cebolla, lechuga	1 taza
	frijoles de la olla	$^1/_2$ taza
COLACIÓN:	melón, papaya, sandia, piña	1 taza
	té o café sin azúcar	al gusto
COMIDA:	consomé desgrasado	1 tazón
	pierna de pollo	60 gr.
	verduras: espinacas,	
	berros, coliflor	1 taza
	aguacate	$^1/_4$ pieza
	frijoles de la olla	$^1/_2$ taza
	tortilla de maíz	1 mediana
	plátano	$^1/_2$ pequeño
COLACIÓN:	melón, papaya, sandia, piña	1 taza
	almendras	2 piezas
CENA:	leche descremada	100 ml.
	con Fibra Uno (Maizoro)	$^1/_2$ taza
AL DORMIRSE:	mango picado	1 taza
	con crema	1 cucharada

VIERNES
(1,197 calorías)

AL DESPERTAR:	yogurt "light"	100 ml.
	con almendras	6 piezas
DESAYUNO:	huevos a la mexicana:	
	huevo	1 pieza
	aceite de oliva	1 cucharadita
	tomate, cebolla, chile	$^1/_2$ taza
	bolillo	$^1/_2$ pieza
		sin migajón
	melón	1 taza
COLACIÓN:	higos	2 piezas
COMIDA:	consomé desgrasado	1 tazón
	frijoles de la olla	$^1/_2$ taza
	aguacate	$^1/_2$ pieza
	verduras: espinaca,	
	brócoli, hongos	1 taza
	tortilla de maíz	2 medianas
	fruta: durazno,	
	naranja, uva	1 taza
COLACIÓN:	melón, papaya, sandia, piña	1 taza
CENA:	pozole de pollo	1 pierna
	(desgrasado)	1 tazón
	pierna sin piel	1 pieza
	aguacate	$^1/_4$ de pieza
	té o café	
	con azúcar	1 cucharadita
AL DORMIRSE:	melón	1 taza

SÁBADO
(1,077 calorías sin contar la cena)

AL DESPERTAR:	toronja	$^1/_2$ pieza
	con azúcar	1 cucharadita
DESAYUNO:	naranja	$^1/_4$ de taza
	mango	$^1/_4$ de taza
	manzana	$^1/_4$ de taza
	queso cottage	$^1/_4$ de taza
COLACIÓN:	cacahuates, pepitas,	
	almendras	20 gramos
COMIDA:	sopa de mariscos	1 tazón
	arroz hervido	$^1/_2$ taza
	vegetales: lechuga, jitomate	
	cebolla	1 taza
	frijoles de la olla	$^1/_2$ taza
	naranja, mango, manzana	1 taza
	galletas saladitas	30 gramos
COLACIÓN:	ensalada con aguacate:	
	verduras	1 taza
	aguacate	$^1/_4$ pieza
*	arroz hervido	$^1/_2$ taza
CENA:	Libre (**comer pequeñas porciones**)	
AL DORMIRSE:	Licuado de papaya (con agua)	1 vaso med.

DOMINGO
(1,089 calorías sin contar el platillo principal)

AL DESPERTAR:	toronja	1 pieza
DESAYUNO:	yogurt natural	$^1/_2$ taza
	germen de trigo	4 cucharadas
	melón, papaya, sandia	1 taza
COLACIÓN:	palomitas de maíz (tostadas sin aceite)	3 taza
COMIDA:	sopa de verduras	1 tazón
	espagueti hervido	$^1/_2$ taza
	frijoles de la olla	1 taza
	platillo principal libre (pequeñas porciones)	
	ensalada	1 taza
	papa hervida	$^1/_2$ taza
	tortilla de maíz	2 piezas
	postre a escoger:	
	fruta fresca	
	gelatina	
	frutas en almíbar	
	nieve de agua	$^1/_2$ taza
COLACIÓN:	papaya	1 taza
CENA:	cereal de cualquier tipo	1 taza
	leche descremada	100 ml.
AL DORMIRSE:	pera	$^1/_2$ taza

SEMANA

CINCO

LUNES
(1210 calorías)

AL DESPERTAR:	pera	$^1/_2$ taza
DESAYUNO:	tostadas de aguacate con frijoles:	
	tortilla tostada al calor	2 piezas
	lechuga, tomate, cebolla	1 taza
	aguacate	$^3/_4$ pieza
	frijoles de la olla	$^1/_2$ taza
	papaya	1 taza
COLACIÓN:	jícama, piña, sandia, pepinos, melón	1 taza
	chile, sal y limón	al gusto
COMIDA:	sopa de verduras	1 tazón
	atún en agua	$^1/_2$ lata
	ensalada: lechuga, pepino, rábano, apio, tomate	1 taza
	vinagre, pimienta	al gusto
	aceite de oliva	1 cucharadita
	frijoles de la olla	$^1/_2$ taza
	galletas saladitas	30 gramos
	uvas	$^1/_2$ taza
COLACIÓN:	melón	1 taza
	nueces picadas	4 mitades
CENA:	hot cake o waffle	1 pieza
	con mantequilla	1 cucharadita
	leche descremada	100 ml.
AL DORMIRSE:	licuado de papaya *(con agua natural)*	1 vaso med.

MARTES
(1,272 calorías)

AL DESPERTAR:	mango	$^1/_2$ taza
	con nueces picadas	5 mitades
DESAYUNO:	frijoles de la olla	$^1/_2$ taza
	nopales	1 taza
	aguacate	$^1/_2$ pieza
	tortilla de maíz	1 pieza
COLACIÓN:	ensalada rusa:	
	verduras	1 taza
	mayonesa	1 cucharadita
	melón	1 taza
COMIDA:	sopa de lenteja	1 tazón
	carne asada (60 gr)	1 bistec chico
	ensalada de verduras	1 taza
	aceite de oliva	1 cucharadita
	tortilla de maíz	1 pieza
	aguacate	$^1/_2$ pieza
	sandia, melón,	
	y/o papaya	1 taza
COLACIÓN:	galletas marías	4 galletas
	té o café sin azúcar	al gusto
CENA:	yogurt "light"	100 ml.
	miel de abeja	1 cucharadita
	All Bran	$^1/_2$ taza
AL DORMIRSE:	papaya	1 taza
	con almendras	4 piezas

MIÉRCOLES
(1,356 calorías)

AL DESPERTAR:	plátano	$^1/_2$ taza
	con yogurt descremado	100 ml.
DESAYUNO:	ensalada: nopales,	
	jitomate, cebolla,	1 taza
	garbanzos	$^1/_2$ taza
	aguacate	$^3/_4$ pieza
	galletas saladitas	30 gramos
	uvas	$^1/_2$ taza
COLACIÓN:	papaya	1 taza
	con almendras	4 piezas
COMIDA:	sopa de verduras	1 taza
	bistec a la plancha	
	desgrasado (60 gr)	1 pequeño
	pan integral	1 reb.
	garbanzos	$^1/_2$ taza
	vegetales: hongos, col,	
	acelgas, ejotes	1 taza
	aceite de oliva	1 cucharadita
	agua de jamaica o limón	1 vaso
	con azúcar	2 cucharaditas
COLACIÓN:	papaya	1 taza
	con almendras	4 piezas
CENA:	concha (60 gr.)	1 pieza chica
	leche descremada 100 ml.	
AL DORMIRSE:	plátano	$^1/_2$ taza

JUEVES
(1,428 calorías)

AL DESPERTAR:	durazno	$^1/_2$ taza
	con almendras	6 piezas
DESAYUNO:	tostadas de aguacate y frijoles:	
	tortilla tostada al calor	2 piezas
	aguacate	$^1/_2$ pieza
	jitomate, cebolla, lechuga	1 taza
	frijoles de la olla	$^1/_2$ taza
COLACIÓN:	bisquet (60 gr.)	1 pieza
	con té o café sin azúcar	al gusto
COMIDA:	sopa de lentejas	1 tazón
	pierna de pollo	60 gr.
	verduras: espinacas,	
	berros, coliflor	1 taza
	tortilla de maíz	2 medianas
	plátano	$^1/_2$ taza
COLACIÓN:	melón, papaya, o sandía	1 taza
	con almendras	6 piezas
CENA:	leche descremada	100 ml.
	con avena cocida	1 taza
	y nueces picadas	6 mitades
AL DORMIRSE:	mango picado	1 taza
	con crema	1 cucharada

VIERNES
(1,508 calorías)

AL DESPERTAR:	plátano	$^1/_2$ taza
	con yogurt "light"	150 ml.
DESAYUNO:	huevos a la mexicana:	
	huevo	1 pieza
	aceite de oliva	1 cucharadita
	tomate, cebolla, chile	$^1/_2$ taza
	frijoles de la olla	$^1/_2$ taza
	tortilla de maíz	1 pieza
	melón	1 taza
COLACIÓN:	higos	2 piezas
COMIDA:	consomé desgrasado	1 tazón
	frijoles de la olla	$^1/_2$ taza
	aguacate	$^3/_4$ pieza
	verduras: espinaca,	
	brócoli, hongos	1 taza
	tortilla de maíz	2 piezas
	plátano	1 taza
COLACIÓN:	melón	1 taza
CENA:	pozole de pollo	1 pierna
	(desgrasado)	1 tazón
	con pierna sin piel	1 pieza
	tortilla de maíz	
	tostada al calor	2 piezas
	aguacate	$^1/_2$ pieza
	té o café	
	con azúcar	1 cucharadita
AL DORMIRSE:	leche entera	100 ml.

SÁBADO
(1,346 calorías sin contar la cena)

AL DESPERTAR:	toronja	$^1/_2$ pieza
	con azúcar	1 cucharadita
DESAYUNO:	naranja	$^1/_4$ de taza
	mango	$^1/_4$ de taza
	manzana	$^1/_4$ de taza
	queso cottage	$^1/_4$ de taza
	galletas marías	4 piezas
COLACIÓN:	cacahuates, pepitas,	
	almendras	20 gramos
COMIDA:	sopa de mariscos	1 tazón
	arroz hervido	$^1/_2$ taza
	vegetales: lechuga, jitomate	
	cebolla, garbanzos	1 taza
	frijoles de la olla	$^1/_2$ taza
	galletas saladitas	30 gramos
	plátano	1 mediano
COLACIÓN:	ensalada con aguacate:	
	verduras	1 taza
	aguacate	$^1/_4$ pieza
	arroz hervido	$^1/_2$ taza
	jamón de pavo	1 reb.
	melón	1 taza
CENA:	Libre (**comer pequeñas porciones**)	
AL DORMIRSE:	fresas	$^1/_2$ taza
	con crema	1 cucharada
	y azúcar	1 cucharadita

DOMINGO
(1,126 sin contar el platillo principal)

AL DESPERTAR:	toronja	1 mediana
DESAYUNO:	yogurt natural	$^1/_2$ taza
	germen de trigo	4 cucharadas.
	melón, papaya, sandia	1 taza
COLACIÓN:	palomitas de maíz	3 tazas
	tostadas con mantequilla	1 cucharadita
COMIDA:	sopa de verduras	1 tazón
	espagueti hervido	$^1/_2$ taza
	frijoles de la olla	1 taza
	platillo principal libre	
	(pequeñas porciones)	
	ensalada	1 taza
	papa hervida	$^1/_4$ taza
	tortilla de maíz	2 piezas
	agua de frutas	1 vaso med.
	postre a escoger:	
	arroz con leche	
	gelatina	
	nieve de agua	$^1/_2$ taza
COLACIÓN:	papaya	1 taza
CENA:	cereal de cualquier tipo	1 taza
	leche descremada	200 ml.
AL DORMIRSE:	fresas	$^1/_2$ taza
	con crema	1 cucharada

SEMANA

SEIS

LUNES
(1,498 calorías)

AL DESPERTAR:	jugo de naranja	200 ml.

DESAYUNO: tostadas de aguacate con frijoles:

tortilla tostada al calor	2 piezas
lechuga, tomate, cebolla	1 taza
aguacate	$^3/_4$ pieza
frijoles de la olla	$^1/_2$ taza
melón, papaya, sandia, piña	1 taza

COLACIÓN:

jícama, piña, sandia, pepinos, melón	1 vaso
chile, sal y limón	al gusto

COMIDA:

sopa de verduras	1 tazón
atún en agua	$^3/_4$ de lata
ensalada: lechuga, pepino, rábano, apio, tomate	1 taza
frijoles de la olla	$^1/_2$ taza
aceite de oliva	1 cucharadita
tortilla	2 medianas
fresas con	$^1/_2$ taza
crema	1 cucharada

COLACIÓN:

melón, papaya, sandia, piña	1 taza
nueces picadas	6 mitades

CENA:

pan dulce (60 gr.)	1 pieza
leche descremada	100 ml.

AL DORMIRSE:

licuado de papaya *(con agua natural)*	1 vaso med.

MARTES
(1,573 calorías)

AL DESPERTAR:	plátano	$^1/_2$ taza
	con yogurt "light"	100 ml.
DESAYUNO:	frijoles de la olla	$^1/_2$ taza
	nopales	1 taza
	aguacate	$^3/_4$ pieza
	jamón de pavo	30 gr.
	tortilla de maíz	1 pieza
	manzana	1 pequeña
COLACIÓN:	ensalada rusa:	
	verduras	1 taza
	mayonesa	1 cucharaditas
	melón, papaya, sandia, piña	1 taza
COMIDA:	sopa de lenteja	1 tazón
	carne asada (60 gr)	1 bistec chico
	ensalada de verduras	1 taza
	aguacate	$^1/_2$ pieza
	tortilla de maíz	2 piezas
	plátano	1 mediano
COLACIÓN:	galletas marías	4 galletas
	con mantequilla	1 cucharadita
	té o café	
	con azúcar	1 cucharadita
CENA:	yogurt "light"	100 ml.
	All Bran	$^1/_2$ taza
AL DORMIRSE:	papaya	1 taza

MIÉRCOLES
(1,659 calorías)

AL DESPERTAR:	fresas	$^1/_2$ taza
	con yogurt descremado	100 ml.
	y miel de abeja	1 cucharadita
DESAYUNO:	ensalada: nopales,	
	jitomate, cebolla,	1 taza
	garbanzos	$^1/_2$ taza
	aguacate	$^3/_4$ pieza
	queso fresco	30 gramos
	galletas saladas	30 gramos
	plátano	$^3/_4$ de taza
COLACIÓN:	melón, papaya, sandia, piña	1 taza
	con almendras	4 piezas
	y miel de abeja	1 cucharadita
COMIDA:	sopa de verduras	1 tazón
	bistec a la plancha	
	desgrasado (60 gr)	1 pequeño
	pan integral	2 reb.
	vegetales: hongos, col,	
	acelgas, ejotes	1 taza
	aguacate	$^1/_4$ pieza
	garbanzos	$^1/_2$ taza
COLACIÓN:	melón, papaya, sandia, piña	1 taza
	con almendras	4 piezas
CENA:	bisquet (60 gr.)	1 pieza
	con leche descremada	100 ml.
AL DORMIRSE:	fresas	$^1/_2$ taza
	con crema	1 cucharada
	y miel de abeja	1 cucharadita

JUEVES
(1,724 calorías)

AL DESPERTAR:	durazno	1 mediano
	con yogurt "light"	100 ml.
DESAYUNO:	tostadas de aguacate y frijoles:	
	tortilla tostada al calor	2 piezas
	aguacate	$^3/_4$ pieza
	jitomate, cebolla, lechuga	1 taza
	frijoles de la olla	$^1/_2$ taza
	pera	1 pequeña
COLACIÓN:	sandwich de jamón de pavo:	
	pan integral	2 rebanadas
	jamón de pavo	30 gramos
	mantequilla	1 cucharadita
	aguacate	$^1/_4$ pieza
	jitomate y cebolla	al gusto
	té o café sin azúcar	al gusto
COMIDA:	sopa de lentejas	1 tazón
	pierna de pollo	60 gr.
	ensalada	2 tazas
	aguacate	$^1/_2$ pieza
	pan integral	2 piezas
	plátano	$^1/_2$ taza
COLACIÓN:	jugo de naranja	250 ml.
CENA:	leche descremada	100 ml.
	All Bran	$^1/_2$ taza
AL DORMIRSE:	mango picado	$^1/_2$ taza
	con crema	1 cucharada

VIERNES
(1,807 calorías)

AL DESPERTAR:	yogurt "light"	200 ml.
	con plátano	$^1/_2$ taza
	y almendras	6 piezas
DESAYUNO:	huevos a la mexicana:	
	huevo	1 pieza
	aceite de oliva	1 cucharadita
	tomate, cebolla, chile	$^1/_2$ taza
	frijoles de la olla	$^1/_2$ taza
	tortilla de maíz	2 piezas
COLACIÓN:	higos	2 piezas
COMIDA:	consomé desgrasado	1 tazón
	frijoles de la olla	$^1/_2$ taza
	aguacate	$^1/_2$ pieza
	verduras: espinaca,	
	brócoli, hongos	1 taza
	aceite de oliva	1 cucharadita
	bolillo sin migajón	$^3/_4$ de pieza
	fruta: durazno,	
	naranja, uva	1 taza
	con miel de abeja	1 cucharadita
COLACIÓN:	melón, papaya, sandia, piña	1 taza
CENA:	pozole de pollo	1 tazón
	(desgrasado)	
	con muslo sin piel	90 gramos
	tortilla de maíz	
	tostada al calor	2 piezas
	aguacate	$^1/_2$ pieza
	té o café con azúcar	1 cucharadita
AL DORMIRSE:	plátano	$^1/_2$ peq.
	con crema	1 cucharada

SÁBADO
(1309 calorías sin contar la cena)

AL DESPERTAR: toronja   1 mediana
con azúcar   2 cucharaditas

DESAYUNO: naranja $^1/_4$ de taza
mango $^1/_4$ de taza
manzana $^1/_4$ de taza
queso cottage $^1/_4$ de taza

COLACIÓN: pepinos con chile,
sal y limón   1 vaso

COMIDA: sopa de mariscos   1 tazón
arroz hervido $^1/_2$ taza
vegetales: lechuga, jitomate
cebolla, garbanzos   1 taza
plátano   1 mediano
galletas saladas   30 gramos

COLACIÓN: ensalada con aguacate:
verduras   al gusto
aguacate $^1/_2$ pieza
arroz hervido $^1/_2$ taza
pan integral   1 pieza
jamón de pavo   30 gramos

CENA: Libre (**comer pequeñas porciones**)

AL DORMIRSE: fresas $^1/_2$ taza
con crema   1 cucharada

DOMINGO
(1377 calorías sin contar el platillo principal)

AL DESPERTAR:	toronja	1 mediana
	con azúcar	2 cucharaditas
DESAYUNO:	yogurt natural	$^1/_2$ taza
	germen de trigo	$^1/_4$ de taza
	melón, papaya, sandia	1 taza
COLACIÓN:	palomitas de maíz (tostadas sin aceite)	3 taza
COMIDA:	sopa de verduras	1 tazón
	espagueti hervido	$^1/_2$ taza
	frijoles de la olla	$^1/_2$ taza
	platillo principal libre (pequeñas porciones)	
	papa hervida	$^1/_2$ taza
	ensalada	1 taza
	aguacate	$^1/_2$ pieza
	tortilla de maíz	3 piezas
	postre a escoger:	
	arroz con leche	
	gelatina	
	frutas en almíbar	
	nieve de agua	
	flan napolitano	$^1/_2$ taza
COLACIÓN:	papaya	1 taza
CENA:	cereal de cualquier tipo	$^3/_4$ taza
	leche descremada	100 ml.
AL DORMIRSE:	plátano	$^1/_2$ taza
	con crema	1 cucharada

SEMANA

SIETE

LUNES
(1797 calorías)

AL DESPERTAR:	jugo de naranja	100 ml.
DESAYUNO:	tostadas de aguacate con frijoles:	
	tortilla tostada al calor	2 piezas
	lechuga, tomate, cebolla	1 taza
	aguacate	$^3/_4$ pieza
	frijoles de la olla	$^1/_2$ taza
	queso panela	30 gramos
	melón	1 taza
COLACIÓN:	jícama, piña, sandia, pepinos, melón	1 taza
	chile, sal y limón	al gusto
	almendras	8 piezas
COMIDA:	sopa de verduras	1 tazón
	atún en agua	$^3/_4$ lata
	ensalada: lechuga, pepino, rábano, apio, tomate	1 taza
	vinagre, pimienta	al gusto
	frijoles de la olla	$^1/_2$ taza
	tortilla tostada al calor	3 piezas
	aguacate	$^1/_2$ pieza
COLACIÓN:	jícama, piña, sandia	1 taza
	nueces picadas	8 mitades
CENA:	hot cake o waffle	2 piezas
	con mantequilla	1 cucharadita
	y miel de abeja o maple	6 cucharaditas
	leche descremada	200 ml.
AL DORMIRSE:	manzana	$^1/_2$ taza

MARTES
(1867 calorías)

AL DESPERTAR:	jugo de naranja	100 ml.
DESAYUNO:	frijoles de la olla	$^{1}/_{2}$ taza
	nopales	1 taza
	aguacate	$^{3}/_{4}$ pieza
	tortilla de maíz	2 piezas
	melón, papaya, sandia, piña	1 taza
COLACIÓN:	ensalada rusa:	
	verduras	1 taza
	mayonesa	1 cucharadita
	galletas saladitas	30 gramos
	pera	1 pequeña
COMIDA:	sopa de lenteja	1 tazón
	carne asada (90 gr)	1 bistec chico
	ensalada de verduras	1 taza
	aguacate	$^{1}/_{2}$ pieza
	tortilla de maíz	3 piezas
	sandia, melón,	
	y/o papaya	1 taza
COLACIÓN:	galletas marías	6 piezas
	con mantequilla	1 cucharadita
	té o café sin azúcar	al gusto
	melón	1 taza
CENA:	yogurt "light"	200 ml.
	All Bran	$^{1}/_{2}$ taza
	almendra	6 piezas
AL DORMIRSE:	papaya	1 taza
	con almendra	4 piezas

<u>MIÉRCOLES</u>
(1942 calorías)

AL DESPERTAR:	jugo de toronja	150 ml.
DESAYUNO:	ensalada: nopales,	
	jitomate, cebolla,	1 taza
	garbanzos	$^1/_2$ taza
	aguacate	$^3/_4$ pieza
	queso fresco	60 gramos
	galletas saladas	30 gr.
	manzana	$^1/_2$ taza
COLACIÓN:	manzana	$^1/_2$ taza
	con almendras	8 piezas
	y miel de abeja	1 cucharadita
COMIDA:	sopa de verduras	1 tazón
	bistec a la plancha	
	desgrasado (90 gr)	1 mediano
	aceite de oliva	2 cucharaditas
	pan integral	2 reb.
	vegetales: hongos, col,	
	acelgas, ejotes	1 taza
	garbanzos	$^1/_2$ taza
	naranja	1 mediana
COLACIÓN:	pay o pastel de	
	cualquier tipo	60 gr.
	café	
	con azúcar	1 cucharadita
CENA:	bisquet	60 gr.
	con mermelada	1 cucharadita
	mas leche descremada	200 ml.
AL DORMIRSE:	helado a	
	base de leche	$^1/_4$ de taza

JUEVES
(2018 calorías)

AL DESPERTAR:	jugo de naranja	200 ml.
DESAYUNO:	tostadas de aguacate y frijoles:	
	tortilla tostada al calor	2 piezas
	aguacate	$^3/_4$ pieza
	jitomate, cebolla, lechuga	1 taza
	frijoles de la olla	$^1/_2$ taza
	melón, papaya, sandía	1 taza
COLACIÓN:	sandwich de jamón de pavo:	
	pan integral	2 reb.
	jamón de pavo	30 gr.
	mantequilla	1 cucharadita
	aguacate	$^1/_4$ de pieza
	jitomate y cebolla	al gusto
	té o café	al gusto
	con azúcar	1 cucharadita
COMIDA:	sopa de lentejas	1 tazón
	pierna de pollo	60 gr.
	ensalada	1 taza
	frijoles de la olla	$^1/_2$ taza
	aguacate	$^1/_4$ de pieza
	tortilla de maíz	3 piezas
	plátano	$^1/_2$ taza
	con miel de abeja	1 cucharadita
COLACIÓN:	pay o pastel	
	de cualquier tipo	60 gr.
	con té o café sin	al gusto
CENA:	Cheerios (cereal)	1 taza
	con leche descremada	200 ml.
	y almendras picadas	12 piezas
AL DORMIRSE:	mango picado	$^1/_2$ taza
	con crema	1 cucharada
	y miel de abeja	1 cucharadita

VIERNES
(2108 calorías)

AL DESPERTAR:	jugo de naranja	150 ml.
DESAYUNO:	huevos a la mexicana:	
	huevo	2 piezas
	aceite de oliva	1 cucharadita
	tomate, cebolla, chile	$^1/_2$ taza
	frijoles de la olla	$^1/_2$ taza
	tortilla de maíz	2 piezas
	jugo de naranja	200 ml.
COLACIÓN:	plátano	1 mediano
COMIDA:	consomé	1 tazón
	frijoles de la olla	$^1/_2$ taza
	aguacate	$^1/_2$ pieza
	queso fresco	60 gramos
	verduras: espinaca, brócoli, hongos	1 taza
	tortilla de maíz	2 piezas
	fruta: durazno, naranja, uva	1 taza
	con miel de abeja	1 cucharadita
COLACIÓN:	pay o pastel de cualquier tipo	120 gr.
CENA:	pozole de pollo (desgrasado)	1 tazón
	muslo sin piel	1 pieza
	tortilla de maíz	
	tostada al calor	2 piezas
	aguacate	$^1/_4$ de pieza
	café con	
	azúcar	2 cucharaditas
AL DORMIRSE:	papaya	1 taza
	con nueces picadas	8 mitades

SÁBADO

AL DESPERTAR:	jugo de toronja	200 ml.
DESAYUNO:	naranja	$^1/_4$ de taza
	mango	$^1/_4$ de taza
	manzana	$^1/_4$ de taza
	queso cottage	$^1/_4$ de taza
	galletas marías	4 piezas
	mantequilla	1 cucharadita
COLACIÓN:	cacahuates, pepitas, almendras	$^1/_2$ taza
	pepinos con chile, sal y limón	1 vaso
COMIDA:	sopa de mariscos	1 tazón
	arroz hervido	$^1/_2$ taza
	vegetales: lechuga, jitomate cebolla, garbanzos	2 tazas
	frijoles de la olla	1 taza
	coctel de frutas	1 plato
	galletas saladas	8 piezas
COLACIÓN:	ensalada con aguacate: verduras	1 taza
	aguacate	$^1/_2$ pieza
	arroz hervido	$^1/_2$ taza
	jamón de pavo	1 reb.
CENA:	Libre (**comer pequeñas porciones**)	
AL DORMIRSE:	fresas	$^1/_2$ taza
	con crema	1 cucharadita
	y miel de abeja	1 cucharadita

DOMINGO

AL DESPERTAR:	toronja	$^1/_2$ pieza
DESAYUNO:	yogurt natural	$^1/_2$ taza
	germen de trigo	4 cdas. sop. copeteadas
	melón, papaya, sandia	1 taza
COLACIÓN:	palomitas de maíz (tostadas sin aceite)	3 taza
COMIDA:	sopa de verduras	1 tazón
	espagueti hervido	$^1/_2$ taza
	frijoles de la olla	1 taza
	platillo principal libre (pequeñas porciones)	
	papa hervida	$^1/_2$ taza
	tortilla de maíz	3 piezas
	agua de frutas	1 vaso med.
	postre libre	
COLACIÓN:	libre	
CENA:	cereal de cualquier tipo	$^3/_4$ taza
	leche descremada	100 ml.
AL DORMIRSE:	fresas	$^1/_2$ taza
	con crema	1 cucharadita
	y miel de abeja	

SEMANA

OCHO

No hay dos seres humanos idénticos: siempre existirán diferencias biológicas, psicológicas y sociales.

Las necesidades de alimentos no son la excepción. Unos requieren de grandes cantidades de comida **todo el día**, ya que su actividad física cotidiana es muy intensa. Otros tienen una mañana muy agitada y tardes relativamente tranquilas.

Estas necesidades cambiantes de energía son detectadas rápidamente por nuestro cerebro y en forma consecuente se aumenta o disminuye el apetito.

La gran desventaja de las indicaciones de "receta de cocina" (como las que se presentan en las semanas tres a siete) es que proporcionan cantidades similares de energéticos **previamente establecidas** en una manera uniforme a través del día.

Con estas técnicas no se debe comer *un poquito más o un poquito menos de lo indicado (salvo en los casos ya señalados)*, pues se corre el riesgo de ingerir un programa **no balanceado** (y por lo tanto favorecer la recuperación de lo perdido).

Esta rigidez puede propiciar que se tenga hambre por la mañana y que por la tarde los alimentos sean excesivos. Tal vez para algunos el desayuno sea una miseria, mientras que la comida parezca más un martirio de excesos que un alimento agradable.

Inclusive las necesidades de alimentos pueden modificarse de un día para otro. Quizá las cenas de Lunes a Viernes sean más que suficientes, pero en las noches del Sábado y Domingo nos las pasemos "muertos de hambre".

Por lo tanto es necesario que el lector aprenda a "escuchar" a su cuerpo, a "perderle el miedo a la comida", y a ingerir en todo momento los alimentos necesarios para obtener siempre la sensación de saciedad.

La siguiente tarea es realizar una estrategia nutricional que indica cantidades LIBRES de nutrientes. A partir de este momento solamente se presentarán recomendaciones generales, y será necesario que el lector **tome decisiones personales** en cuanto a la calidad, cantidad, y frecuencia de ingestas.

Es tiempo de aplicar todo lo que ha aprendido. Después de casi dos meses ya tiene la OBLIGACIÓN de probarse a si mismo y establecer *qué tantos hábitos alimenticios ha modificado.*

¿Como va a saber cuándo ha ingerido suficientes cantidades de alimentos?

Debe escuchar su *centro de control de la alimentación* quien le avisará por medio del apetito o la saciedad las cantidades a comer. No se engañe en pensar que puede estar vigilando y limitando todo lo que come *por el resto de su vida.*

Además, no tiene sentido, ya que el cerebro está programado desde hace miles de años para avisarnos exactamente lo que debemos ingerir. Y no tenga miedo o piense que sus neuronas que registran los alimentos se encuentran carbonizadas por tantas dietas, o en un sueño eterno. Simplemente no les habíamos hecho caso antes por *miedo a engordar.*

Esta es la gran paradoja de los obesos: *para eliminar su problema deben hacer lo que siempre han evitado; darle a su cuerpo todo lo que les pide.* En esta semana se busca que el lector elimine para siempre el pésimo hábito de restringir los alimentos que ingiere.

Mientras el lector no permita que su cuerpo establezca el tipo de alimento y la cantidad a ingerir, no puede considerar que ha erradicado su obesidad. Así que, manos a la obra, que es tiempo de *soltarse el pelo* y dejar que nuestro organismo tome la rienda de nuestros hábitos alimenticios.

PROGRAMA DE MANTENIMIENTO

AL DESPERTAR:

fruta fresca y/o jugo de frutas — al gusto

DESAYUNO:

jugo de tomate o verduras — al gusto
jugo de frutas y/o coctel de frutas — al gusto

A ESCOGER: *mínimo una toma en 24 horas*

frijoles de la olla con queso fresco, verduras y aguacate, mas tortilla de maíz o bolillo

----

sandwich (con pan integral) mas jamón de pavo, aguacate, jitomate, cebolla, frijoles untados con fruta fresca o jugo de frutas

----

torta de atún (en agua o aceite) o sardina, con aguacate, jitomate, cebolla, frijoles untados (fritos en aceite de oliva) y jugo de frutas

----

hot cakes o waffles con miel de abeja o maíz o mermelada (no agregar mantequilla o margarina)

----

2 huevos a la mexicana (eliminar una yema) con aceite de oliva, mas frijoles, tortilla de maíz, o bolillo, o pan integral

----

(Cualquiera de estos alimentos puede volver a tomarse a media mañana, media tarde, o en la cena. La cantidad a ingerir queda a criterio de cada persona).

A MEDIA MAÑANA:

jugo de verduras o tomate	al gusto
jugo de frutas y/o fruta fresca	al gusto

Galletas: marías, saladas, habaneras, ritz, integrales (salvado, centeno, etc.). **Oleaginosas**: cacahuates, pepitas, nueces, almendras, pistaches etc. (crudas). **Frutas**: fresca, seca, agua de frutas, jugo de frutas. Te o café con azúcar blanca o morena o miel de abeja o maple.

COMIDA:

sopa, crema o consomé de verduras
arroz o pasta guisada en aceite de oliva o canola
ensalada y/o verduras cocidas
leguminosas: frijol, haba, lenteja, alubia, garbanzo
pollo sin piel, filete de res (asado), pescado al horno
pan integral, o blanco, o bolillo, y/o tortilla de maíz
refresco no dietético, agua de frutas, agua natural
coctel de frutas, nieve de agua, gelatina de agua

A MEDIA TARDE:

Repetir lo indicado a media mañana.

CENA:

cereal con leche descremada y fruta fresca
(o repetir lo indicado en el desayuno)

AL DORMIRSE:

licuado de frutas con agua natural, o helado a base de leche, o frutas con crema, o leche entera

Al despertar:

El excelente hábito de ingerir algo después de abrir los ojos debe de mantenerse durante *toda una vida.*

Lo prudente es comer algo sencillo, aunque bien puede cambiar su jugo de frutas por una rebanada de pan integral, o inclusive el licuado de las primeras dos semanas. Recuerde que debe tomar su alimento *antes de llevar a cabo cualquier otra actividad* (bañarse, realizar actividad física, etc.)

Desayuno:

Idealmente se debe tomar un vaso de jugo de tomate (o de cualquier otra verdura), además de la fruta fresca y/o el jugo de frutas.

Los otros alimentos enlistados pueden comerse por separado, o bien *todos juntos.* Por ejemplo; tome su sandwich de jamón con un plato de frutas, o bien *acompáñelo con un plato de frijoles de la olla además de un par de "hot cakes".* ¿Quien dicta la cantidad y calidad? Su cuerpo.

La recomendación para la población general adulta es ingerir máximo dos yemas de huevo por semana. Si ya está comiendo más cantidades, y sabe **por medio del laboratorio** que sus niveles de colesterol son normales, puede ingerir este desayuno hasta tres o cuatro veces por semana.

Cualquiera de los alimentos indicados para el desayuno puede ingerirse en el momento del día que se desee. El sandwich, la torta, y los hot cakes, todos pueden tomarse a media mañana, a mediodía, o bien en la noche como "cena". ¿Quien decide lo que debe comer? Deje que su cuerpo le avise lo que desea.

A Media Mañana:

La intención es seleccionar un alimento "práctico" que sea fácil de elaborar o cargar. Si tiene el deseo (y la oportunidad) puede comerse un plato de verduras, con sopa de arroz o pasta, además de su guisado favorito, o bien una torta de atún.

Esto último a veces es poco práctico. Si a media mañana se encuentra fuera del hogar, deberá cargar con varias bolsas de alimentos. Le servirá más para angustiarlo que para adelgazar. Desde un punto de vista metabólico es más útil ingerir varios tipos de alimentos en cada sentada, pero es más prudente aplicar un plan nutricional **práctico**, que abrumar su ya castigado estilo de vida con estrategias complicadas.

Comida:

Se deben ingerir **todos** los alimentos indicados: cualquier tipo de sopa (con verduras); arroz o pasta; leguminosas (frijol, haba, etc.); verduras (crudas como ensalada y/o cocidas); proteínas (carne de res, pollo o pescado); cereales (pan o tortilla); azúcares no refinados (refrescos no dietéticos); y por último frutas (en cualquier presentación), o bien un postre sin grasas.

Muchos se quejan de no poder comer todo lo anotado. Esto se resuelve iniciando con **pequeñas porciones**, e incrementandolas paulatinamente hasta encontrar la cantidad adecuada.

*Es necesario que incluya **todo** lo anotado (aunque sea en mínimas cantidades) o corre el riesgo de ingerir un alimento no balanceado.*

Si come muy tarde, o bien en la noche, adelante. Y si existe tanta hambre que requiere de **dos, tres o hasta cuatro** "comidas", no hay problema. Solo cuide de ingerir **siempre** siete alimentos al día.

Si cena "fuerte" a las 6 p.m., y a las 10 p.m. aún no tiene hambre, debe tomar algo **por obligación** antes de dormirse. En las dietas tradicionales se debe dejar de comer aunque se tenga hambre. En este programa SE DEBE ALGO COMER AUNQUE NO SE TENGA APETITO.

A Media Tarde:

La utilidad o necesidad de esta ingesta dependerá básicamente de los hábitos alimenticios del lector. Si su "comida" la hace a las 7:00 p.m., seguramente tendrá poco deseo de tomar *tres alimentos más* antes de acostarse. En este caso debe ingerir la colación de "media tarde" **antes de su comida.** Puede ingerir un café con una torta a las 11 de la mañana, una fruta fresca más un sandwich a las 3:00 p.m., y la comida al llegar a casa. Nuevamente cuide de las cantidades, o terminará totalmente harto para el tercer día de su programa de mantenimiento. Esto puede favorecer una menor ingestión de alimentos, desnutrición, y finalmente obesidad.

Cena:

Un cereal con leche descremada y fruta debe ser suficiente para el penúltimo alimento del día. Se puede utilizar cualquier tipo de cereal; desde avena hasta los productos comercializados y envueltos en papel celofán. Los productos comerciales que contienen altas concentraciones de fibra son muy útiles. La fruta puede ser fresca o en almíbar. Incluya plátanos, duraznos, mamey, mango, o cualquier otra fruta que se le apetezca.

En vez de leche descremada puede utilizar yogurt descremado. Si presenta intolerancia a la leche, puede repetir uno de los alimentos recomendados para el desayuno: sandwich, torta, etc.

De acuerdo a investigaciones sobre la respuesta orgánica a los alimentos (la respuesta termogénica), se ha demostrado que la capacidad para quemar "excesos" es más eficiente por las mañanas, y se reduce conforme avanza el día. La recomendación de "desayunar como rey, comer como príncipe, y cenar como pordiosero" parece ser bastante sensata.

Esto no significa que *obligadamente* se tenga que comer de esta manera para permanecer esbelto. Si el hábito del lector es cenar "fuerte", puede continuar con esta costumbre, vigilando los resultados en la cinta métrica y báscula. Si observa una reducción satisfactoria de medidas, puede continuar con su forma de comer. Pero si no obtiene los resultados deseados, debe "cargar" su alimentación hacia la mañana.

Al dormirse:

Muchas personas cenan e inmediatamente se duermen. Esta costumbre **no provoca obesidad**. Otras toman una cena muy temprano y no concilian el sueño hasta varias horas después. Si este es su hábito, debe ingerir un **último** alimento antes de dormirse. Así reduce a un mínimo el tiempo en que permanece en ayuno durante la noche.

Una fruta fresca, o "licuado" de fruta es más que suficiente para la mayoría de las personas. Pero si desea ingerir un alimento "divertido" hágalo con tranquilidad.

Tome una pequeña porción de alimentos ricos en grasa y adelgace, por ejemplo: un helado de vainilla o chocolate, o un vaso de leche entera con chocolate, un yogurt no descremado, fresas con crema, unas galletas con mantequilla, etc., etc.

¿Suena divertido, verdad? La ciencia ha encontrado nuevas y agradables maneras de eliminar la grasa corporal. Pero esto no se logrará mientras el obeso tenga miedo de comer.

La utilidad de un plan nutricional que indica el mayor número de ingestas posibles es triple:

En primer lugar, evita que se realicen ayunos prolongados; de acuerdo múltiples investigaciones (anotadas en las causas de la obesidad, página 18) hacer este tipo de ingesta provoca un *acumulo de exceso de grasa.*

En segundo lugar, al comer muchas veces se favorece la aparición de la "respuesta termogénica". En términos no médicos esto significa que la grasa incluida en el menú se convierte en calor y no en "llantas".

Por último, cada ingesta incrementa la actividad general del organismo (metabolismo basal).

Si no tiene el hábito de comer con tanta frecuencia, corre el riesgo de perder el apetito a los pocos días de haber iniciado su programa libre. Esto favorece que a la larga se dejen de tomar algunos de los alimentos recomendados, y finalmente genera obesidad por ingerir un programa nutricional mal balanceado.

Para prevenir esta respuesta debe iniciar con raciones **moderadas.** Si a las 72 horas nota que puede seguir comiendo la cantidad que desee de todo lo indicado sin provocarse hastío, excelente. El programa contiene los "ingredientes" necesarios para lograr obtener una reducción lenta y satisfactoria de peso y medidas **comiendo de todos los grupos alimentarios hasta quedar totalmente saciados.**

Debe estar muy atento para escuchar lo que su organismo le pide. ¿Desea ingerir otros alimentos que no están indicados? **Debe hacerlo.** ¿Por que? Porque el cerebro le está avisando que *requiere de otro tipo de nutrientes* (recuerde que hasta la fecha la recomendación prudente es *comer* grasas de origen animal en pequeñas porciones).

A veces es difícil establecer las cantidades necesarias de aceite para el organismo. Aquellas personas que aprenden sobre el efecto "engordante" de las grasas pierden el miedo de comer azúcares, pero en muchas ocasiones *castigan en forma exagerada la ingestión de los aceites vegetales y animales.*

El "temor a engordar" no les permite escuchar a su organismo, y "por si las dudas", deciden mejor tomar pequeñas porciones. Esto puede ser muy peligroso, ya que una ingestión inadecuada de aceite favorece **la recuperación del peso eliminado.**

¿Existe alguna manera de saber que se han ingerido insuficientes cantidades de aceites? No hay una forma **directa** y rápida de establecer cuando nos estamos limitando demasiado.

Pero el organismo sí presenta cambios que nosotros podemos identificar, siempre y cuando estemos muy atentos de su aparición.

Si se presentan con frecuencia cuadros infecciosos de vías respiratorias, (o en mujeres en áreas genitales) es muy posible que se esté inhibiendo el sistema inmunológico por una ingestión pobre de aceites. Independientemente de acudir a su médico para que le revisen, debe aumentar la cantidad de **grasas vegetales crudas** en su menú.

Si el pelo se vuelve seco y sin brillo, y si la piel se palpa reseca (a pesar de untarse kilogramos de crema), es casi seguro que se estén ingiriendo insuficientes aceites.

Los **aceites vegetales son "estéticos"** pues vuelven al cabello sedoso y brilloso, y la piel suave.

¿Su pelo no se acomoda fácilmente cuando lo peina? No guarda relación con las agresiones que se haya aplicado (sobre todo las mujeres con permanentes, tintes, etc.).

Si presenta alguna de los cambios mencionados, debe **incrementar** la cantidad de aceites vegetales incluidos en el menú, hasta que desaparezcan las alteraciones. Observará que al aumentar los aceites, su cabello se vuelve más sedoso (a pesar de "martirizarlo" con productos químicos), y que se reducen en forma importante los cuadros infecciosos.

Si aplicó este programa con cuidado, y observa que lentamente recupera su peso inicial, es casi seguro que está reduciendo en forma inadvertida el consumo de grasas vegetales. Antes de reiniciar la primer semana, asegúrese de incrementar las grasas vegetales del menú (aguacate, almendras, aceite de oliva, etc).

O bien regrese a la semana donde se sintió satisfecho (mas no excedido en alimentos) y logró una reducción lenta de peso y medidas. Con esto casi siempre recupera el peso sin necesidad de repetir el programa entero.

La semana de mantenimiento puede repetirse las veces que desee. Los alimentos indicados pueden combinarse de tal manera que en todo momento se ingiera un programa balanceada, abundante, y agradable.

Es muy probable que la reducción de peso y medidas sea mínima con el programa de mantenimiento, aunque algunas personas pierden su grasa corporal rápidamente.

La intención de este programa no es obtener reducciones espectaculares, sino de enseñarle la manera de comer en forma balanceada y de reducir por medio de la **salud** el exceso de grasa. Bajar de peso por comer es un resultado espectacular, aun cuando se trate de perdidas modestas.

¿SEMANA

NUEVE?

¿Ya se encuentra listo para comer todos los alimentos "pecaminosos"? ¿Cuenta con el valor para enfrentarse cara a cara con su enemigo?

No existe prisa alguna por lanzarse de frente al reto de las grasas animales. Total, seguirán presentes para el resto de nuestras vidas ...... Por lo mismo he presentado esta semana entre signos de interrogación. Si desea continuar con el plan indicado en la semana ocho, adelante.

Pero el lector pecaría de ingenuo al pensar que *jamás* volverá a tomar alimentos ricos en grasas animales. Después de todo, son una parte muy divertida de nuestra vida.

En las reuniones sociales, los restaurantes, las casas de los amigos, y prácticamente en cualquier lugar en donde nos encontremos estaremos expuestos a estos alimentos.

Una actitud más sensata (y honesta) es **aprender a *administrar* la ingestión de grasas saturadas.**

Cuando se sienta listo para enfrentarse al enemigo número uno, deberá aplicar alguna (o *todas*) las estrategias presentadas en este capítulo. No existe una forma específica para cuidar la ingestión de estos alimentos. Del historial de técnicas dietéticas que ayudan a reducir **todo** lo que comemos podemos utilizar las estrategias que sean más prácticas o accesibles. Hagamos una lista de estas técnicas:

TÉCNICA DE ADMINISTRACIÓN POR TIEMPO

El organismo humano cuenta con "almacenes" para guardar los energéticos requeridos en el momento oportuno. Si dejamos de comer azúcares, existe una "reservorio" que nos brinda este nutriente durante aproximadamente 72 horas. El almacén de proteínas tiene reservas para unas dos o tres semanas.

El almacén de grasas nos ayuda a subsistir aun cuando no incluyamos suficientes aceites en nuestra mesa durante varios meses.

No es indispensable (aunque sí útil) que estemos comiendo "de todo" cada vez que nos sentemos a la mesa. Cuando ingerimos muy pocos alimentos, el cuerpo utiliza sus "almacenes" o reservas para asegurar que en todo momento se obtengan los nutrientes necesarios.

Idealmente se deben comer azúcares en *todo momento del día*, pero las proteínas y grasas pueden "juntarse" para ser ingeridas en una sola toma (o inclusive pueden dejarse de comer durante varios días sin que se presenten alteraciones).

De esta manera tenemos la oportunidad de ingerir el alimento que deseemos, por más grasa saturada que contenga, *sin que nos provoque obesidad*. Sólo debemos "robar" unas porciones al resto del día (o inclusive a varios días). En las fiestas podemos ingerir "botanas" con alimentos muy grasosos (pizza, birria, hamburguesas, etc.) y continuar adelgazando.

La técnica más práctica consiste en reducir las grasas saturadas de Lunes a Viernes (equivalente a una dieta vegetariana), para dejarlas "libres" el fin de semana. Si no desea aplicar un plan vegetariano, incluya en su menú pescados, leche descremada, yogurt descremado, y queso fresco, además de pechuga de pavo (estos alimentos contienen muy poca grasa saturada).

Es una excelente técnica que permite ingerir grasas de origen animal en cantidades "libres" durante el fin de semana *sin que se incremente la grasa corporal*.

Esta parece ser la estrategia más práctica para la mayoría de las personas.

TÉCNICA DE INHIBICIÓN POR COMPETENCIA

Muchos obesos viven con la fantasía de que siempre necesitan vigilar lo que comen o corren el riesgo de "reventar" por ingerir demasiados alimentos.

Consideran erróneamente que su cuerpo no conoce de restricciones cuando se trata de comida. Para este momento el lector ya se habrá dado cuenta de que estas ideas son falsas, y que su estómago **definitivamente** tiene un limite.

Esto se debe a que nuestro cerebro mide con extraordinaria precisión todo aquello que ingerimos.

Cuando hemos tomado lo necesario, nos avisa por medio de la sensación de hastío o saciedad que *debemos dejar de comer.* Este control funciona hasta en el más glotón del mundo.

*Siempre llega el momento en que se frena **espontáneamente** la ingestión de alimentos.*

Contamos con un autocontrol primitivo extraordinario para ayudarnos a administrar la cantidad de grasas saturadas que incluimos en nuestro menú, y existe una manera muy sencilla de obtener un gran beneficio de este autocontrol: modificando el orden en que ingerimos los alimentos.

¿Quiere reducir la cantidad de pizza que toma sin pasar hambres? Ingiera primero un vaso grande de refresco (no dietético **obviamente**), posteriormente una ensalada abundante (con bastante aceite vegetal), siga con su plato de pasta hervida, y cierre con esa pizza tan sabrosa que tiene enfrente.

La técnica de invertir el orden de los alimentos funciona bastante bien. Al dejar para el último momento el platillo "adictivo" se puede moderar su ingestión sin sentirse castigado.

Debe tomarse medidas frecuentemente. Es muy conveniente que durante este período de "prueba", lo haga *diariamente*. Así podrá saber en que momento se están incluyendo cantidades excesivas de grasa.

No se confíe de los resultados inmediatos al ingerir espontáneamente grasas saturadas. *Un cuerpo bien nutrido se defiende eficazmente de incrementos bruscos de grasa corporal.* No es hasta después de **2 o 3 semanas de "excesos"** que se empieza a notar el aumento de medidas.

Si se "suelta el pelo" y comienza a detectar un incremento de circunferencias, analice cuidadosamente lo que ha comido en *las ultimas tres semanas.* No se engañe en pensar que está aumentando su cintura solamente por la cena desordenada de ayer.

TÉCNICA DE INHIBICIÓN POR DESPLAZAMIENTO

Ya que el estómago tiene un limite, el lector puede decidir entre llenarlo con alimentos balanceados, alimentos excedidos en grasas animales, o bien una combinación de los dos.

Si se decide por la última opción, lo más prudente es "cargar" la tendencia hacia alimentos ricos en fibra y azúcares. Por ejemplo: si va a comer un taco de chicharrón, será más conveniente utilizar **doble o triple tortilla**, además de una salsa picante con abundante jitomate y cebolla, un buen trozo de aguacate, **y muy poco chicharrón.** Obviamente todo deberá acompañarse con un rico plato de frijoles de la olla, y su refresco favorito *no dietético.*

¿Qué se obtiene con todo esto? **Comer menos chicharrón.** En la técnica previa se recomienda dejar los alimentos grasosos para el final del menú, pero esto en ocasiones puede ser muy aburrido.

Con la técnica de *inhibición por desplazamiento* podemos realizar un programa mucho más divertido. Nuestra costumbre es de ingerir varios tipos de alimentos en un mismo bocado, y esto no tiene por qué provocar obesidad, siempre y cuando se ingieran abundantes **carbohidratos complejos**.

Cualquier técnica que incremente las grasas saturadas debe ser vigilada cuidadosamente a través de la báscula y cinta métrica. Recuerde que **no es suficiente pesarse**. La báscula es de limitada utilidad para definir los incrementos o descensos de grasa corporal.

Si se incrementa la cadera, esto se debe interpretar como una ingestión excesiva de grasas (a pesar de estar aplicando alguna de las técnicas previamente recomendadas).

Pero si se incrementa el abdomen TENGA MUCHO CUIDADO. Esto generalmente significa que se está: incluyendo una cantidad insuficiente de proteínas y/o azúcares en el menú, se está descuidando el horario de los alimentos, o bien se está atravesando por un período de estrés muy intenso.

TÉCNICA DE INHIBICIÓN POR INGESTIÓN DE FIBRA

Este método es muy popular y ha dado entrada a una infinidad de "técnicas" dietéticas: licuado de nopal, sábila, tunas, chayote, o bien cápsulas de bromectina, nopal, etc., etc. Es una "maña" bastante inocua y sencilla, pero por alguna razón muy pocas personas la utilizan como una estrategia permanente.

¿Como funciona esta recomendación?

Se trata básicamente de inhibición por competencia, pero la pequeña diferencia es que se utilizan casi siempre alimentos con un *alto contenido de fibra y muy poco valor energético.*

La fibra provoca una sensación de plenitud, favorece un vaciamiento lento del estómago, e interfiere con la absorción de grasas. Consecuentemente se favorece una menor ingestión de grasas, además de una reducción en su aprovechamiento.

Así se puede comer un alimento muy grasoso sin que provoque tanto daño al organismo. El único inconveniente es que no se puede precisar qué tanto de grasa se está absorbiendo. **Esta estrategia debe ser usada sólo en forma ocasional.**

¿Cual es la mejor fibra? **Todas** son útiles. No se deje engañar por anuncios y publicaciones en comprar productos que prometen brindarle resultados espectaculares. Utilice aquellos alimentos que se encuentran en su hogar y que se preparen con mayor facilidad. A continuación se presentan algunos ejemplos: (el lector puede "inventar" su propia técnica):

LICUADO:

Nopal:	1 pieza pequeña y tierna (cruda)
Pepino:	1 pequeño con cáscara
Piña:	1 rebanada gruesa
Chayote:	$1/2$ o $1/4$ (crudo)
Jugo de naranja:	al gusto

Se licúan todos los ingredientes y se toman SIN COLAR 10 a 30 minutos antes de un alimento muy grasoso.

Barras de nopal:	2-3 antes de un alimento grasoso.
Bromectina:	1-2 antes de un alimento grasoso.
Cualquier ensalada:	La cantidad que se desee antes del alimento grasoso.
Frijoles de la olla:	Un plato abundante antes del alimento grasoso.

Todas estas técnicas son de gran utilidad siempre y cuando se asegure **una ingestión abundante de los demás nutrientes.**

LA OBESIDAD NO SOLO SE PRESENTA POR COMER GRASAS SATURADAS EN EXCESO.

Al ingerir menos alimentos de los que el organismo requiere, *se favorece la aparición de obesidad.* La **malnutrición** (provocada al comer una dieta mal balanceada) o la **desnutrición** (generada al reducir drásticamente la ingestión de *todos* los alimentos) incrementan la capacidad del cuerpo para ACUMULAR GRASA.

Al **ayunar** en forma intermitente y/o prolongada **también** se favorece la aparición de obesidad (aun cuando se ingiera un programa balanceado y abundante). Lo más triste de esta situación es que se favorece el acumulo de grasa sobre la **cintura**, y este incremento es el más peligroso para el ser humano.

Quienes aplican dietas con frecuencia solamente logran obtener mayor incremento de peso, un abdomen más abultado, y unas pantorrillas más delgadas.

Es muy importante que se tome en cuenta esta situación, pues muchas personas "culpan" a este programa por el incremento de grasa corporal y/o de peso que ocasionalmente se presenta (a pesar de aplicar las recomendaciones correctamente).

Cualquier individuo con desnutrición severa tendrá por **obligación** que subir de peso al volver a comer en forma balanceada (aún cuando se ingieran pequeñas porciones de nutrientes).

Si le tocó la mala suerte de aumentar su peso y medidas al aplicar el programa de inducción, deberá tomar en cuenta que es el precio que se paga por haberse generado una severa desnutrición a través de las dietas.

LA

ÚLTIMA

SEMANA

¿Y después de todo esto, qué sigue?

Para este momento ya debe contar con una nueva manera de comer: seguramente no le teme a los azúcares o las grasas vegetales, y sobre todo a **las cantidades.**

Espero que también haya aprendido a administrar su ingestión de grasas saturadas, más no **eliminarlas.** Si ahora su miedo por la comida se convirtió en miedo a las grasas, vigile cuidadosamente que no castigue excesivamente su ingestión.

Si las recomendaciones le parecieron bastante difíciles de aplicar, no debe preocuparse, pues se trata de un evento perfectamente normal. Modificar cualquier hábito no es tarea fácil (aunque tampoco imposible). Es normal que se presente cierta (o mucha) resistencia al cambio.

La condición humana es de repetir un mismo patrón de conducta en una manera casi inconsciente y *de resistirse a cualquier modificación.* A este comportamiento se le conoce como **hábito.**

La resistencia al cambio no es provocada por algún motivo malévolo arraigado en nuestro pasado tormentoso o en nuestra infancia desdichada. **Existe la misma dificultad para iniciar una actividad (ya sea ejercicio o programa alimenticio) que para dejarla cuando ya se está realizando.**

Reducir la ingestión de grasas saturadas se hace difícil por dos motivos: el primero es que el gusto por las grasas se presenta **por naturaleza;** el segundo es que no se deben **eliminar totalmente de nuestra vida.**

Al realizar esta insensatez nos estamos provocando alteraciones severas a nuestro organismo e inclusive la posibilidad de VOLVER A ENGORDAR; por lo tanto se tiene la *necesidad* de administrar su ingestión.

Es muy difícil aprender a moderar la ingestión de grasas, y no debe martirizarse constantemente diciéndose que vale "un cacahuate" por no poder lograrlo. Si en su primer intento aplicó el régimen en una manera inapropiada, debe intentarlo otra vez. Pero antes de reiniciar, tendrá que analizar cuidadosamente las razones de su falta de adherencia.

El factor que guarda más impacto en cualquier programa de cambio de hábitos es *el estilo de vida*. Esta formula compleja debe tomar en cuenta la carga de trabajo, la relación con la pareja, la interacción con la familia, las expectativas personales, las emociones, y muchos otros factores que son únicos para cada persona.

En ocasiones es prudente pedir apoyo profesional para lograr un cambio definitivo en el estilo de vida. Y no se trata de desenterrar viejos fantasmas, o de pasarse la vida lamentándose por lo mal que le ha ido hasta ahora. La finalidad debe ser: incrementar la autoestima; definir con precisión los objetivos; y mejorar la motivación.

Debido a que muchas veces es difícil aprender a comer sin miedo, elaboré un programa llamado **Taller de Autocontrol del Sobrepeso** que se imparte dentro del Instituto Mexicano del Seguro Social, la Secretaría de Salud, y recientemente la Organización Panamericana de la Salud y la UNICEF.

Este programa lo hice en forma conjunta con un psicólogo. Y debo reconocer que muchos pacientes que no logré ayudar en consulta individual, obtuvieron extraordinarios beneficios por medio de este taller.

Espero que con el tiempo se amplíe el programa, y así todos tendrán la opción de resolver su enfermedad por medio de grupos de auto-ayuda. Mientras tanto deberá encontrar valor y energía para seguir las recomendaciones presentadas en el libro.

Los que sintieron al programa como un día de campo no deben caer en el error de creer que ya eliminaron su problema. Aún les falta llegar esbeltos hasta la última semana de su vida.

Si logró cambiar sus hábitos debe utilizar la "última semana" para aplicar todo lo aprendido y establecer su plan **personal** de alimentación. Ya conoce la teoría y ya aplicó en forma progresiva la práctica. Ahora tiene la responsabilidad de implantar todos esos hábitos a un estilo permanente de comer.

De acuerdo a reportes internacionales, casi un 90% de las recaídas se presentan a los tres meses de tratamiento. Por lo tanto, se debe mantener una vigilancia constante de la manera de comer por lo menos durante 1 año completo.

¿Porqué se vuelve a presentar la obesidad?

La razón más frecuente es por **la asociación de conflictos emocionales.** Si ya logró modificar su manera de comer, debe tener sumo cuidado en momentos de tensión. Cuando se baja la guardia por atravesar situaciones de conflicto, se corre el riesgo de reiniciar un estilo de comer inapropiado.

Seguramente unos obtuvieron cambios espectaculares en su figura. Otros tal vez solo notaron reducciones modestas, pero satisfactorias. También es posible que *no se haya modificado absolutamente nada de la figura.*

Aquellos que aún persisten con exceso de grasa (a pesar de haber aplicado con disciplina y entusiasmo **todas** las recomendaciones) deberán leer con gran detenimiento las siguientes páginas.

16

LA MESETA

¡Que maravilloso sería bajar con la misma rapidez desde la primera hasta la última semana de dieta! Desafortunadamente ni siquiera el ayuno absoluto genera estos cambios: al inicio se pierde peso y medidas rápidamente, posteriormente disminuye la velocidad de reducción y finalmente se estanca o inclusive se sube algo de lo eliminado.

El cuerpo necesariamente requiere de tiempo para "descansar" y readaptarse al nuevo ambiente: este evento es conocido como *meseta*.

En fechas recientes se han realizado múltiples estudios sobre este fenómeno, y a continuación anotaré las conclusiones que se han obtenido:

1.- Los cambios en la báscula y cinta métrica son muy variables: unos reducen rápidamente, mientras otros no bajan nada. Esta respuesta no guarda relación con el tipo de dieta, ni con lo bien que se haga.

2.- Cuando se disminuyen el peso y las medidas, los cambios se presentan en forma intermitente, caracterizándose por períodos de reducción con estancamiento (*meseta*).

3.- La *meseta* generalmente se presenta durante 2 y hasta 6 semanas. Al obtener una reducción de 10 kilogramos, el estancamiento se hace más prolongado, y puede alargarse desde dos hasta doce meses.

4.- La reducción máxima que se puede esperar es de 10 kilogramos. Una vez logrado este objetivo se debe esperar un tiempo prudente (**4 a 6 meses**) para intentar una mayor pérdida de peso (ver páginas 151 a 153).

5.- Bajar más de 10 kilogramos en forma rápida y sostenida puede generar alteraciones metabólicas severas que favorecen la **recuperación de lo perdido.**

6.- Se debe tener sobre todo una gran paciencia para evitar la respuesta de *"sube y baja"*, pues las variaciones constantes de peso generan más lesiones que la misma obesidad: se favorece un incremento de grasa abdominal con la subsecuente aparición de diabetes mellitus, hipertensión arterial sistémica, elevación de colesterol y triglicéridos, aterosclerosis, y consecuentemente infarto del miocardio, además de demencia presenil.

7.- Quien desee obtener reducciones mayores de 10 kilogramos debe prepararse mental y emocionalmente para realizar cambios importantes en su estilo de vida, en donde se debe incluir un régimen alimenticio balanceado y disciplinado con actividad física de mínimo 1 hora de duración.

8.- Reducciones menores de peso se explican generalmente por una adherencia inapropiada al régimen. Si considera que ha realizado los necesario en forma prudente, es casi seguro que la no reducción se deba a un estrés intenso no controlado. Las dietas y el estrés son combinaciones poco aconsejables.

9.- Ante todo debe contar con **PACIENCIA Y PRUDENCIA** para lograr el objetivo de eliminar la obesidad.

LOS PENSAMIENTOS MÁGICOS Y LAS CURAS "MILA-GROSAS" NO CABEN EN LA MENTE DE INDIVIDUOS SENSATOS QUE BUSCAN RESOLVER EN FORMA DEFI-NITIVA SU PROBLEMA.

17

PREGUNTAS Y RESPUESTAS SOBRE EL PLAN NUTRICIONAL

Hasta este momento he estado escribiendo como si contara con todo el tiempo del mundo para realizar su plan nutricional; jamás hubiera tenido dificultades en su adherencia; nunca saliera de vacaciones; no conociera las tentaciones; no tuviera que alimentar una familia; no comiera en restaurantes, etc., etc.

Para el lector que posee características mas "humanas" seguramente le quedan muchas dudas en cuanto a la correcta aplicación de las recomendaciones presentadas.

En las siguientes páginas intentaré anotar *algunas* de muchas preguntas que usualmente me hacen. Si existe una duda que no logré disipar, agradeceré se envíe por correo a la dirección anotada al final de este capítulo.

Empecemos con la primera de esta larga lista:

¿CUANTO PESO O MEDIDAS PUEDO BAJAR SI APLICO CORRECTAMENTE *TODAS* LAS INDICACIONES?

Aún cuando la intención de cualquier técnica es reducir de peso, se ha reportado que con las estrategias tradicionales de **dejar de comer**, aproximadamente el 20% de las personas que inician una dieta NO OBSERVAN CAMBIOS EN LA BÁSCULA, e inclusive un 8% SUBEN MÁS DE PESO.

Con las recomendaciones expuestas en el libro he logrado reducir las cifras, pero aún así se presenta una **nula** reducción de peso y medidas en el 10% de los casos, y en un 3% se **sube de peso**.

¿Por qué se presentan estas reacciones aparentemente contradictorias?

Es **normal** que existan distintas respuestas orgánicas y dependen de: la edad; el sexo; el tiempo de obesidad; el grado de desnutrición; la herencia; la cantidad de dietas que se hayan aplicado previamente; el tipo de actividad física; el grado de estrés; la presencia de alteraciones orgánicas como Diabetes Mellitus; los niveles elevados de colesterol, triglicéridos, ácido úrico; y por último la adherencia al régimen.

¿Quien bajará rápidamente? ..... Un hombre de 18 a 40 años de edad que tenga menos de 10 años de ser obeso; que se encuentre con mínima o nula desnutrición; que no tenga antecedentes familiares de obesidad; que nunca haya aplicado dietas de reducción; que realice una actividad física moderada; que sea sumamente apacible (desconozca el estrés); que tenga en la sangre cifras normales de glucosa, colesterol, triglicéridos, y/o ácido úrico; y que *además* sea un "santo" en la aplicación de las recomendaciones.

¿Quien bajará lentamente, o inclusive *puede subir*? ..... Una mujer de más de 40 años de edad con más de 10 años de ser obesa; que se encuentre con una moderada o **severa** desnutrición; que cuente con antecedentes familiares de obesidad; que se haya pasado *casi toda su vida* aplicando dietas de reducción; que realice una actividad física mínima o bien excesiva; que se encuentre constantemente bajo estrés; que tenga elevaciones de glucosa ("azúcar en la sangre"), colesterol, triglicéridos, y/o ácido úrico; y que *además* sea una "desordenada" para aplicar *cualquier* recomendación nutricional.

¿En que lista se encuentra usted? La mayoría de estos eventos no pueden ser modificados en el **momento presente**. Por ejemplo, aquellos que han dedicado su vida a practicar dietas no pueden borrar su pasado. Tampoco es posible cambiar el hecho de que se tenga más de 10 años de ser obeso.

Todos estos eventos que afectan la velocidad de reducción (o inclusive favorecen un *incremento*) NO DEBEN PREOCUPARNOS. De ninguna manera podemos continuar con las ideas fantasiosas de que encontraremos una solución *mágica* a nuestro problema.

Si en el presente intento sube de peso (máximo 3 kg.) seguramente lo eliminará **al continuar aplicando las recomendaciones**. Es difícil realizar una tarea sin obtener ganancias inmediatas. Por lo tanto será necesario que aprenda a tener paciencia y a tolerar la frustración de no bajar, o inclusive de subir un poco de peso y medidas.

Debe tener la perseverancia de un cazador ante una presa sumamente difícil de capturar si desea eliminar en forma definitiva su obesidad.

¿QUE DEBO HACER SI ME ENCUENTRO ACTUALMENTE SIGUIENDO UNA DIETA DE REDUCCIÓN?

La única garantía que tiene al aplicar una dieta de reducción, es que subirá de peso al suspenderla. Si **además** toma algo para "quemar grasa", es casi seguro que presentará el terrible fenómeno del "*rebote*" (subir en forma espectacular más de lo que había reducido).

La única manera en que puede evitar o minimizar esta respuesta, es aplicando el programa de *inducción*. No solamente logrará frenar el rebote: *en ocasiones provoca descensos impresionantes de peso y medidas* (sobre todo en los que han estado "cuidándose" con las dietas bajas en azúcares).

¿QUE DEBO HACER SI COMO FRECUENTEMENTE EN RESTAURANTES?

El obstáculo más común es el alimento ingerido fuera del hogar. Comer en un restaurante puede compararse con acudir a un festejo (cumpleaños, bautizo, etc.), o comer en casa de los amigos que "no están a dieta". Algunas personas se quejan de que la dificultad se presenta en su domicilio, pues la cocinera (usualmente la madre o la esposa) se niega rotundamente a guisar los platillos de una forma tan *insípida*.

En estas situaciones se tiene un mínimo o nulo control sobre *la manera de preparar la comida*. ¿Que debe hacer el lector para salir airoso de estas circunstancias? Existen varias opciones:

Puede juntar todas las raciones de grasa para utilizarlas en el momento que acuda a un restaurante. Esto obliga a que las otras seis tomas del día se hagan solamente con alimentos sin grasas (pasta hervida, frutas, verduras, tortilla, pan integral, etc., etc.)

Si a pesar de realizar esto no observa cambios en la cinta, o inclusive *recupera lentamente algo de lo eliminado*, deberá utilizar cualquiera de las técnicas recomendadas para la semana número 9 (página 129 en adelante). La técnica más práctica es la de **inhibición por competencia** (página 132), ingiriendo azúcares no refinados con un alimento rico en fibra:

Al llegar al restaurante tome todo su refresco **no dietético** "de golpe" y acompáñelo con pan (o tortillas de maíz y salsa picante) antes de empezar a comer. En las festividades, o en casa de los amigos, pida **primero** su refresco favorito. Si existe la confianza, pídales a los anfitriones que le tengan preparado algún plato con verduras.

Cuando el problema se presenta en el hogar, la solución puede ser relativamente sencilla:

Solicite que le tengan lista una ensalada con un rico plato de frutas. Al llegar a casa, tome una cantidad **abundante** de las frutas y verduras (además de un refresco con tortillas o pan), y después *siéntese a la mesa a comer de todo* (incluyendo una **nueva** ración de frutas, verduras, y pan). Si el plato no está preparado, sírvaselo usted mismo. Total, quien necesita adelgazar es usted ..... Si le **prohíben** comer un alimento nutritivo antes de sentarse a la mesa, empiece a buscar apoyo profesional para que le ayuden a romper esa relación tan destructiva.

Otra opción es la de "negociar" (hasta donde sea posible) un alimento preparado con poca grasa animal. Hable con la cocinera del restaurante en donde come con más frecuencia, y solicítele un platillo **sin aceite**. Tal vez en la primera ocasión la petición parezca bastante extraña. Cuando solicite su plato especial por décima ocasión, quizá hasta le pregunten qué está haciendo para adelgazar .....

Al acudir a casa de los amigos, ofrézcase a llevar un platillo preparado sin aceite. Puede lucirse con una ración de arroz hervido, o bien un pollo a la plancha. Si no le gusta, no tiene tiempo, o no sabe cocinar, compre algún guisado en un restaurante vegetariano, o bien comida japonesa.

Si la negociación tiene que hacerse en casa, cuenta con muchas armas para poder obtener algo (o mucho) de lo que desea: intercambie un alimento sin grasa por un cuarto bien arreglado, o tal vez una invitación al teatro.

También es importante que sus seres queridos entiendan lo valioso que es permanecer esbelto (en relación a las necesidades biológicas, psicológicas, y sociales). Si no le hacen caso al principio, acéptelo. Es entendible que no le crean absolutamente nada de lo que usted les explique (sobre todo si ya cuenta con un largo historial de dietas de reducción).

Al ser persistente y mostrarle a la familia que está eliminando su exceso de grasa comiendo de todo (con un excelente estado de ánimo y de salud) seguramente llegará el momento en que comparta el gusto por realizar una alimentación nutritiva. Pero si al aplicar las recomendaciones le aparece un humor pésimo, no puede culparlos por que le pidan (o inclusive exijan) que deje a un lado tantas tonterías, y que se dedique a disfrutar un poco de la vida sin martirizarse con los alimentos.

¿QUÉ DEBO HACER SI TENGO TANTA HAMBRE QUE NO PUEDO TOLERAR LAS RECOMENDACIONES?

La mejor opción es aplicar un programa alimenticio que lo mantenga satisfecho. Esto significa que en vez de iniciar con la semana número uno, puede comenzar con la seis, siete, o hasta número ocho.

Lo peor que puede suceder es que se desencadene el fenómeno de la **realimentación**, con un posible incremento de peso secundario a la retención de **agua** (hasta 6 kilogramos en una semana).

Aunque este incremento no guarda relación alguna con el acumulo de grasa corporal, generalmente provoca un pánico incontrolable en los obesos (sobre todo si se encuentran obsesionados con la báscula).

Por lo tanto tendrá que decidir qué le provocará más molestias: la sensación de hambre (que desaparece conforme avanza el programa), o la posibilidad de subir de peso (mas no de medidas).

Para hacer más fácil la decisión, tenga en mente que la intención del programa no es de eliminar la grasa corporal de la manera más rápida posible, sino de aprender a comer para **no volver a subir jamás**.

¿QUÉ DEBO HACER SI POR ALGUNA RAZÓN NO APLICO LAS RECOMENDACIONES?

Mientras exista una mayor adherencia, se obtendrán mejores resultados, pero es muy posible que en diez semanas se atraviese por más de un evento que limite nuestra capacidad para aplicar adecuadamente las recomendaciones.

Tal vez se presente algún evento inesperado (por ejemplo, una enfermedad) y consecuentemente no se tenga el tiempo para preparar los alimentos, o simplemente, por razones ajenas a uno, se encuentre en algún lugar donde no es prudente o difícil obtener los alimentos apropiados.

La obesidad se produce al comer en forma excesiva alimentos ricos en grasas animales (o bien fritos en cualquier aceite).

Pero también se puede generar al ingerir insuficientes alimentos, o bien por ayunos prolongados (malnutrición).

La obesidad provocada por malnutrición causa más daño al organismo, y es más difícil de eliminar.

Si no puede tomar un alimento bajo en grasa saturada (por falta de tiempo, una emergencia, etc.) debe COMER LO QUE ESTÉ A MANO. Es preferible ingerir cualquier tipo de alimento a exponerse a la posibilidad de desnutrirse.

Siempre ingiera frutas, verduras, cereales, y leguminosas, pero si no existe esta opción tome refrescos, dulces, chocolates, o lo que sea.

Lo *que no debe hacer* es **dejar de comer, o bien sentirse frustrado por no poder aplicar las recomendaciones**. ¿Cuál es la mejor actitud? Disfrutar del alimento que está ingiriendo, y programar mejores estrategias para la siguiente ocasión.

No bajar de medidas y/o de peso por aplicar irregularmente las indicaciones no es algo terrible, siempre y cuando *se aprenda a comer sin miedo en los eventos inesperados de la vida.*

¿DURANTE CUÁNTO TIEMPO ME DEBO SENTIR CULPABLE POR NO SEGUIR EL PROGRAMA?

No más de 5 minutos. Este sentimiento es útil para detectar actitudes o situaciones que están mal o que deben de modificarse. Sin él probablemente tendríamos una mínima capacidad para cambiar nuestro estilo de vida.

Pero atormentarse con esta emoción durante días completos es de nula utilidad. Una sensación **exagerada** de culpa le puede llevar a dos fallas totalmente distintas:

En primer lugar, puede pasarse tanto tiempo sintiéndose culpable, que no contará con el suficiente espacio o la energía para *hacer verdaderos cambios en sus hábitos.* Lamentarse de los errores es una manera de **no cambiar.** En segundo lugar, puede sentirse tan culpables que decide exagerar los cuidados y "ponerse a dieta". Esto solamente genera desnutrición y mayor acumulo de grasa.

Si es *perfeccionista* tenga mucho cuidado con su programa nutricional. Los alimentos le sirven, entre otras cosas, para encontrar placer en la vida. Al estar sumamente ansioso por desarrollar una técnica "extraordinaria", reducirá su capacidad para disfrutar de la comida. De esta manera condena al fracaso su intento de reducción pues *es casi imposible convertir un evento desagradable en un hábito.*

De ser necesario deberá repetirse a sí mismo mil veces que la obesidad se resuelve con **paciencia y prudencia**; y que tiene la posibilidad, como todos los seres humanos, de cometer errores con su programa alimenticio.

¿QUE ESTRATEGIA DEBO APLICAR EN VACACIONES?

La recomendación es de "**soltarse el pelo**" y **evitar cualquier tipo de restricción dietética**.

Al estar de vacaciones generalmente se reducen las tensiones cotidianas. Esto favorece la eliminación de grasa corporal, *aún cuando se estén realizando "desordenes" en la alimentación*. Es la manera más divertida de darse cuenta del impacto del estrés sobre la obesidad.

En las vacaciones *habitualmente* se aumenta la actividad física; caminata, natación, etc. Esto favorece la reducción de grasa corporal siempre y cuando el ejercicio **no sea intenso**.

La razón más importante: *generalmente* se tiene poco control sobre el tipo de nutrientes que se pueden ingerir en vacaciones. Al intentar cuidarse a "medias" casi siempre se obtiene la ingestión de un alimento **no balanceado**.

Con esto lo único que se logra es engordar por desnutrición.

Si va a subir de peso, que sea por *comer de mas y no por comer de menos*. La obesidad generada por una ingestión excesiva de grasas se reduce mas rápido y fácilmente. La única indicación es que ingiera **lo que sea** más de 4 veces al día.

Incluya en su maleta una bolsa de frutas secas. Le servirán para cuando no tenga a su alcance algún alimento (al despertarse y al dormirse).

Haga hasta lo imposible por ingerir **3 alimentos completos** y tome lo que apetezca (refrescos, nieve de agua, paletas, golosinas, etc.) lo más frecuentemente posible entre comidas. LO MÁS IMPORTANTE: **DISFRUTE INTENSAMENTE SUS VACACIONES**.

¿PUEDO REPETIR LA TÉCNICA DE INDUCCIÓN?
(ver páginas 53 a 72)

Aunque el objetivo primordial del programa de inducción es el de evitar el fenómeno de la realimentación, puede ser extraordinario para favorecer una reducción rápida de peso y medidas.

El inconveniente de casi todas las dietas de reducción es que, en vez de eliminar la grasa, generan la perdida de **masa muscular**.

De existir una estrategia que produjera una movilización preferente de grasa corporal, contaríamos con un **excelente** apoyo para erradicar la obesidad.

La técnica de inducción cumple con este criterio: reduce preferentemente la grasa corporal (con algo de líquidos corporales), **y provoca una mínima o nula pérdida de músculo**.

Pero aún cuando se trata de una de las mejores estrategias de reducción, no es útil para eliminar la obesidad. ¿Por qué? Por la sencilla razón de que no puede aplicarse durante toda la vida.

Es extraordinaria para "quemar" la grasa y favorece una rápida disminución de peso, pero **no nos enseña a comer**. Para no volver a subir (lograr el *mantenimiento*) es **indispensable** que se aprenda a ingerir todo tipo de alimentos en una forma balanceada, abundante y prudente.

La técnica de inducción es de gran ayuda en la reducción y el control del sobrepeso, pero su utilización inapropiada puede generar más daño que beneficio. Para no favorecer el "rebote" es indispensable que **se aplique en forma prudente y sensata**.

A continuación enlistaré una serie de cuidados que debe tener para no caer en abusos al aplicar la estrategia, y consecuentemente favorecer la *recuperación de lo ya perdido*.

1.- Repita la técnica mínimo cada 3 meses: de preferencia, utilícela cada 4 meses. Si intenta aplicar su técnica con intervalos mas cortos seguramente observará que los cambios son mínimos o nulos. El organismo *necesariamente* elimina su exceso de grasa con cierta lentitud. Deje que su cuerpo dicte la velocidad de reducción.

Antes de utilizar esta técnica debe aplicar un programa de MANTENIMIENTO durante 6 semanas. Así tiene la seguridad de iniciar la inducción con un organismo bien nutrido.

Mientras mejor alimentado se encuentre, observará una reducción más rápida de grasa corporal. Y si al realizar su estrategia de inducción por segunda ocasión no observa cambios importantes, tenga mucho cuidado. Esto significa que su plan de "mantenimiento" más bien consistió en una estrategia de desnutrición.

2. Evite en lo posible aplicar la técnica durante la navidad: intentar reducir en esta época es una pésima idea. Vale la pena preguntarse seriamente qué tanto beneficio puede obtener de un programa que favorecerá pocos cambios en la figura. Lo más prudente es aplicar las indicaciones fuera de la época invernal, pues en invierno **cualquier** técnica provoca una mínima reducción de grasa.

3.- Asegúrese de contar con suficiente tiempo para completar las dos semanas de tratamiento: no suspenda el régimen en menor tiempo, pues corre el riesgo de presentar "rebote".

4.- Mantenga muy firme su convicción de ser disciplinado con su programa: el error más frecuente que se comete al repetirse la técnica de inducción es de adherirse en una manera menos estricta al programa. Posiblemente al notar que ya han eliminado algo de sus excesos, se aplican con menos esmero a las indicaciones. Esto en sí no es nada grave, siempre y cuando se esté consiente de este evento y no se culpe al programa por cambios discretos o nulos.

Generalmente se observa una **mayor** eliminación de grasa al repetirse las indicaciones. Si no bajó rápidamente en la primer ocasión, tal vez lo logre en la segunda. Claro está, existe una gran influencia de otros factores: el grado de estrés al que se enfrenta; la época del año; la constancia en el programa de actividad física; la coexistencia de alguna enfermedad grave; y la adherencia al régimen.

5.- No intente forzar reducciones mayores de 10 kilogramos: insistir en obtener un mayor descenso solo favorece que se presente el fenómeno de *rebote*. Una vez lograda esta reducción, deje transcurrir un tiempo prudente (mínimo 6 meses) antes de intentar perder más peso.

Si después de este lapso utiliza el programa correctamente y no obtiene resultados satisfactorios, **suspéndalo**. Deje pasar otros 4 meses antes de intentar una nueva reducción. Con esto se logrará un descenso *libre de violencia*. Seguramente no observará cambios espectaculares, pero tampoco presentará incrementos exagerados, dolorosos, o frustrantes.

¿PUEDO SEGUIR EL PLAN SI TENGO DIABETES?

Sí. Aplicar el programa desde la primera hasta la última semana puede favorecer cambios espectaculares en los diabéticos, pues obtienen un **excelente** control de su enfermedad. En la mayoría de los casos se reduce o inclusive **suspende** la medicación (aún cuando sea insulina).

Es de suma importancia que se apliquen las recomendaciones bajo **estricta vigilancia médica**. Se puede presentar hipoglucemia (una reducción importante de azúcar en la sangre), y esto lleva hasta la muerte.

También es muy importante que se tenga en mente que **no se observará una disminución de medidas o de peso** mientras los niveles de glucosa se encuentren por arriba de 200 mg/dl.

Este mismo fenómeno se presenta en los que tienen cifras elevadas de colesterol, y/o triglicéridos, pues se reduce de peso sólo al normalizarse estos elementos.

NO SE ELIMINA EXCESO DE GRASA MIENTRAS EL COLESTEROL, LOS TRIGLICÉRIDOS, O LA GLUCOSA SE ENCUENTRAN ELEVADOS.

Las recomendaciones que he presentado son excelentes para reducir o mejorar el control de estos tres elementos. Por lo tanto el objetivo al aplicar las estrategias nutricionales debe ser de **disminuir los niveles de estas substancias en la sangre y no de resolver la obesidad.** La reducción de medidas se obtendrá cuando se haya controlado el problema de fondo.

El incremento de estos elementos **no provoca molestias.** La única manera de establecer con precisión si existe este problema es por medio de estudios de laboratorio. Los individuos de más de 30 años de edad deberán practicarse análisis de sangre antes de iniciar este, o cualquier otro programa de reducción. Las personas más jóvenes sólo requieren de estudios de laboratorio en el caso de que no reduzcan su peso o medidas.

¿QUE DEBO HACER SI EN VEZ DE REDUCIR MIS MEDIDAS SE PRESENTAN INCREMENTOS?

Lo primero es **no desesperarse.** Esta reacción no significa que las técnicas presentadas sean inútiles para el lector, o que se encuentre con alguna alteración orgánica "malévola". El incremento guarda relación con el grado de malnutrición que exista al iniciar el programa. A mayor desnutrición, mayor posibilidad de que se **aumente de peso y/o medidas.**

Lo paradójico de esta situación es que los obesos que han sido muy responsables y metódicos con sus dietas están más expuestos a presentar **una severa desnutrición**.

¿Por qué? Por la sencilla razón de que nadie en sus cinco sentidos (salvo el obeso *disciplinado*) se atreve a desnutrirse estando rodeado de tantos alimentos tan sanos y sabrosos. Esto no significa que deba repetir frecuentemente el programa de **inducción**. Bajará lentamente su peso **haga lo que haga**.

La actitud sensata para aquellos que han pasado toda su vida aplicando dietas es tener una extraordinaria *paciencia*, y esperar a que el cuerpo reduzca su grasa cuando así lo decida.

¿QUE PUEDO HACER SI AÚN TENGO DUDAS?

Estoy seguro que se presentará alguna, o muchas dudas, y que tal vez no quedará clara alguna anotación del libro. He intentado escribir de la manera más sencilla posible, pero muchos probablemente estarán revisando por primera ocasión esta información. Cualquier elemento "nuevo" en nuestra vida requiere de tiempo para que sea entendido y manejado adecuadamente. Es muy prudente que lea este libro las veces que sean necesarias (mínimo en 3 ocasiones antes de iniciar el programa).

Si después de esto aún se tropieza con ideas que no son claras, le invito a que me escriba sus dudas, opiniones, y sobre todo que comente sobre su respuesta personal a los tratamientos.

La dirección es:

Dr. Rafael Bolio Bermúdez
 Chilpancingo No. 28, Col. Condesa
 C.P. 06140, México, D.F.
 Teléfono;   55-74-22-30   55-74-16-50
 55-74-16-51   55-84-16-91

TABLAS DE PESO IDEAL

HOMBRES

Estatura en cm.	Peso mínimo recomendado	Peso ideal	Peso máximo recomendado
152	39.1	50.9	62.1
154	40.2	52.1	64.0
156	41.7	53.3	65.2
158	42.9	54.6	66.5
160	43.7	55.7	67.7
162	44.9	57.0	69.0
164	46.1	58.2	70.1
166	47.3	59.4	71.4
168	48.5	60.6	72.7
170	49.7	61.8	73.9
172	51.9	63.0	75.1
174	52.1	64.3	76.4
176	53.3	65.5	77.6
178	54.5	66.7	78.9
180	55.7	67.9	80.1
182	56.9	69.1	81.4
184	58.2	70.3	82.6

MUJERES

Estatura en cm.	Peso mínimo recomendado	Peso ideal	Peso máximo recomendado
142	36.0	45.1	54.0
144	37.0	46.2	55.4
146	37.7	47.3	57.0
148	38.4	48.5	58.5
150	39.2	49.6	60.0
152	39.9	49.6	60.0
154	40.6	51.8	63.0
156	41.0	52.9	64.5
158	41.3	54.0	66.0
160	42.8	55.2	67.5
162	43.5	56.3	69.0
164	44.3	57.4	70.5
166	44.9	58.5	72.0
168	45.7	59.6	73.5
170	46.5	60.7	75.0

POBLACIÓN AUTENTICA MEXICANA, ESTADOS UNIDOS MEXICANOS. Estudio realizado en 9253 estudiantes universitarios en la ciudad de México, por la Dra. Leticia Casillas.

INTERCAMBIOS DE PAN

Un intercambio de pan rinde cerca de 2 g. de proteínas, 15 gr. de carbohidratos y 70 kilocalorías.

CEREALES: CANTIDAD

.Hojuelas de salvado	$^1/_2$ taza
.Cereales listos para servirse	$^3/_4$ taza
.Cereal cocido	$^1/_2$ taza
.Avena cocida	$^1/_2$ taza
.Arroz cocido	$^1/_2$ taza
.Cebada cocida	$^1/_2$ taza
.Pasta cocida	$^1/_2$ taza
.Tallarines	$^1/_2$ taza
.Macarrones	$^1/_2$ taza
.Fideos	$^1/_2$ taza
.Espaguetti	$^1/_2$ taza
.Palomitas de maíz (tostadas sin grasa)	3 tazas
.Harina de maíz	2 cdas.
.Germen de trigo	4 cdas.
.Harina de trigo	2 y $^1/_2$ cdas.

PAN, Y DERIVADOS   CANTIDAD

.Pan de caja	1 reb.
.De trigo entero	1 reb.
.Centeno o pan negro	1 reb.
.Con pasas	1 reb.
.Rosca	$^1/_2$ peq.
.Pan para salchicha	$^1/_2$
.Pan para hamburguesa	$^1/_2$
.Migajones de pan seco	3 cdas.
.Tortilla	1 med.
.Bolillo	$^1/_4$
.Hot cakes	1 med.
.Waffles	1 med.

GALLETAS: CANTIDAD

.De centeno	2 pzas.
.Saladas	4 pzas.
.De soya (2 1/2 pulg)	4 pzas.
.Galletas Marías	4 pzas.

INTERCAMBIOS DE FRUTAS

Un intercambio de frutas rinde cerca de 10 gr. de carbohidratos y 40 kilocalorías.

.Cerezas	10
.Dátiles secos	2 piezas
.Frambuesa	$^1/_2$ taza
.Fresa	$^1/_2$ taza
.Higos (frescos o secos)	1 pieza
.Jicama	1 taza
.Mandarina	1 peq.
.Mango	$^1/_2$
.Manzana	1 peq.
.Melón	1 taza
.Naranja	1 peq.
.Papaya	1 taza
.Pera	1 med.
.Piña	1 taza
.Plátano	$^1/_2$ peq.
.Sandía	1 taza
.Toronja	$^1/_2$
.Uvas	12
.Zarzamora	$^1/_2$ taza

INTERCAMBIOS DE LECHE DESCREMADA

Un intercambio rinde cerca de 5 gr. de carbohidratos, 3 gr. de proteínas y 32 kilocalorías

.Leche desc.	100 ml.
.Yogurt desc.	100 ml.

INTERCAMBIOS DE LEGUMINOSAS

Un intercambio de leguminosas rinde cerca de 7 g. de proteínas, 0,5 gr. de grasas poli-insaturadas, 15 gr. de carbohidratos, y 90 kilocalorías.

.Alubia	$^1/_2$ taza
.Alverjón	$^1/_2$ taza
.Frijol	$^1/_2$ taza
.Garbanzo	$^1/_2$ taza
.Habas	$^1/_2$ taza
.Ibes	$^1/_2$ taza
.Lentejas	$^1/_2$ taza
.Soya	$^1/_2$ taza

INTERCAMBIOS DE CARNE

Un intercambio de carne magra (con poca grasa) rinde cerca de 7 g. de proteínas, 3 gr. de grasas saturadas y 55 kilocalorías.

.Falda de res	30 gr.
.Filete de res	30 gr.
.Cecina de cerdo	30 gr.
.Pechuga de pollo s/piel	30 gr.
.Ternera	30 gr.
.Pavo s/piel	30 gr.
.Jamón de pavo	1 reb.
.Salchicha de pavo	1 med.
.Queso fresco	30 gr.
.Queso panela	30 gr.
.Cottage s/grasa	$^1/_4$ taza
.Pescado todo tipo	30 gr.
.Atun en agua	$^1/_4$ lata
.Mariscos todo tipo	30 gr.

(almeja, calamar, jaiba, camarón, langosta, pulpo langostino, ostiones)

INTERCAMBIOS DE AZÚCAR

Un intercambio de azúcar rinde cerca de 5 gr. de carbohidratos y 20 kilocalorías

.Azúcar blanca	1 cdta.
.Azúcar morena	1 cdta.
.Moscabado	1 cdta.
.Miel de abeja	1 cdta.
.Miel de maíz o maple	1 cdta.
.Mermelada de cualquier tipo	1 cdta.

INTERCAMBIOS DE GRASA

Un intercambio de grasa rinde cerca de 5 gr. de grasa y 45 kilocalorías

VEGETALES:

.Aceite vegetal	1 cdta.
.Aceite de oliva	1 cdta.
.Aceituna	5 pzas.
.Aguacate	50 gr.
.Aguacate verde	25 gr.
.Ajonjolí	10 gr.
.Almendra	8 pzas.
.Avellana	10 gr.
.Cacahuate	12 pzas.
.Girasol (semillas)	10 gr.
.Nuez Castilla	8 mitades
.Piñón	10 gr.
.Pistache	10 gr.

ANIMALES:

.Crema	1 cda. sop.
.Manteca	1 cdta.
.Mantequilla	1 cdta.
.Mayonesa	1 cdta.
.Tocino	1 trocito

La edición consta de 15,000 ejemplares. Impreso
en septiembre de 1999 en **Litoarte, S.A. de C.V.**,
San Andrés Atoto No. 21-A, Col. Ind. Atoto,
Naucalpan, 53519, encuadernado en
Sevilla Editores, S.A. de C.V.
Vicente Guerrero No. 38,
San Antonio Zomeyucan,
Naucalpan, 53750,
Edo. de México.